o estilo 80/20

Richard Koch

o estilo 80/20

SEXTANTE

Título original: *Living the 80/20 Way: Work Less, Worry Less, Succeed More, Enjoy More*

Publicado originalmente por Nicholas Brealey Publishing, em Londres e Boston, em 2004.
Publicado em acordo com Nicholas Brealey Publishing.

tradução
Myriam Campello

preparo de originais
Valéria Inez Prest

revisão
Ana Grillo, Isa Laxe e Sônia Peçanha

projeto gráfico e diagramação
DTPhoenix Editorial

capa
Marcelo Pereira / Tecnopop

pré-impressão
ô de casa

impressão e acabamento
Bartira Gráfica e Editora S/A.

CIP-BRASIL. CATALOGAÇÃO-NA-FONTE
SINDICATO NACIONAL DOS EDITORES DE LIVROS, RJ

K81e Koch, Richard, 1950-
O Estilo 80/20 / Richard Koch [tradução de Myriam Campello]. – Rio de Janeiro: Sextante, 2009.

Tradução de: Living the 80/20 way
ISBN 978-85-7542-457-5

1. Sucesso – Aspectos psicológicos. I. Título.

CDD: 158.1
09-0305 CDU: 159.947

Rua Voluntários da Pátria, 45 – Gr. 1.404 – Botafogo
22270-000 – Rio de Janeiro – RJ
Tel.: (21) 2286-9944 – Fax: (21) 2286-9244
E-mail: atendimento@esextante.com.br
www.sextante.com.br

Sumário

O *Estilo 80/20* capacita

qualquer pessoa

a obter **resultados** *extraordinários*

sem exigir um esforço extraordinário.

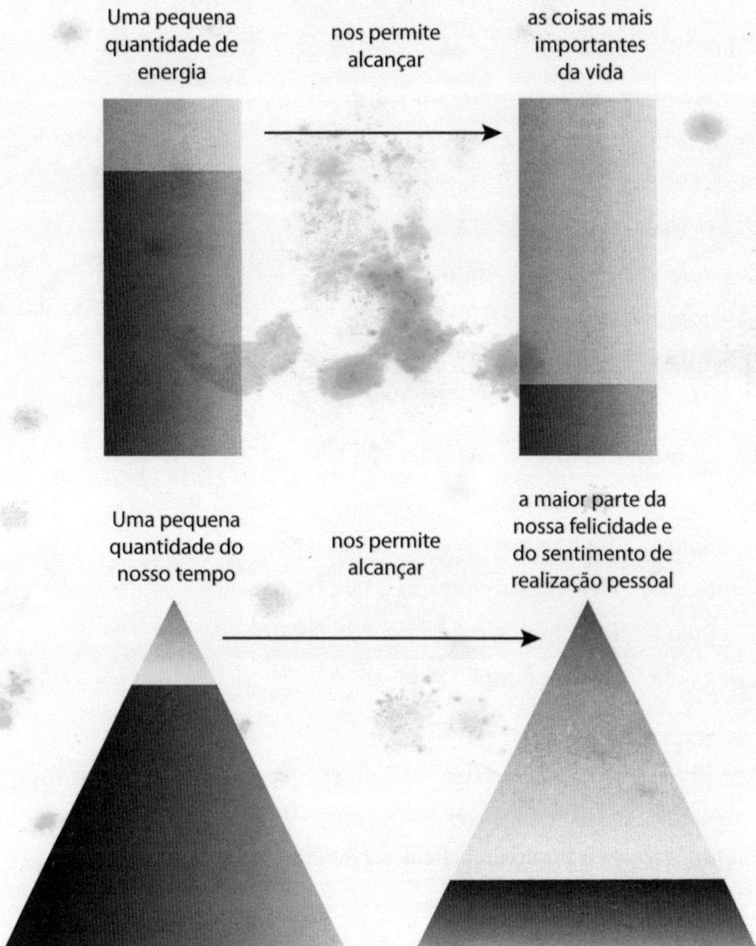

Prefácio

Se você soubesse que conseguiria obter mais das coisas maravilhosas que a vida tem a oferecer por um nível menor de esforço e custo, ficaria interessado?

Caso pudesse trabalhar apenas dois dias por semana em vez de cinco e, ainda assim, alcançar melhores resultados e ganhar mais, ficaria interessado?

Se esse princípio se aplicasse não só ao trabalho e à obtenção de dinheiro e sucesso, mas também a questões mais importantes – as pessoas que você ama, assim como a sua própria felicidade e realização pessoal –, ficaria interessado?

É claro que sim. E você *pode* transformar sua vida se adotar o Estilo 80/20.

Esse sistema estabelece uma verdadeira mudança no modo como vemos e fazemos as coisas. Apesar disso, segui-lo é muito mais simples e fácil do que você pode imaginar.

Como isso é possível? Quando entendemos a maneira como o mundo é de fato organizado – mesmo que ela seja totalmente diferente do que esperamos – e usamos o Estilo 80/20 para nos encaixar nele, conseguimos obter muito mais daquilo que desejamos despendendo bem menos energia. Fazendo *menos*, podemos desfrutar e realizar *mais*.

Vamos falar de ação, mas de menos ação

Embora este livro seja extremamente prático, ele é também incomum, pois gira em torno de *menos*, e não de mais ação. Como se costuma dizer, só conseguimos obter melhoras reais em nossa vida quando passamos a agir de *modo diferente*. Isso é verdade. No entanto, o Estilo 80/20 mostra também como *fazer menos no total*. Ao adotá-lo, executamos um número maior de coisas que nos deixam felizes. Porém, como elas correspondem apenas a uma pequena parte de tudo a que nos dedicamos, podemos nos envolver em menos atividades e, ainda assim, transformar nossa vida. Pensamos mais e fazemos muito mais algumas poucas coisas – contudo, as realizamos de um modo melhor e mais intenso. Mas, no geral, agimos menos.

Como descobri o Estilo 80/20

Posso elogiar o Estilo 80/20 e dizer sem hesitação que é extraordinário, pois não fui eu quem o criou. Ele se baseia numa lei científica chamada Princípio 80/20, que se mostrou eficaz nos negócios e na economia. Basicamente, ela afirma que 80% dos resultados são gerados por apenas 20% de causas ou esforço.

O Princípio 80/20, meu livro anterior, explica como usar esse conceito para aumentar os lucros empresariais. Nele há também uma pequena seção em que mostro como o Princípio 80/20 pode ser empregado na vida pessoal para a conquista de mais sucesso e felicidade. Esse enfoque provocou uma tremenda controvérsia. Alguns críticos disseram que essa idéia é perfeita para o mundo dos negócios, mas que nunca funcionaria fora dele. Contudo, leitores que a adotaram me escreveram dizendo que ela mudara suas vidas.

O Princípio 80/20 foi traduzido para 22 idiomas e já vendeu mais de meio milhão de exemplares. Embora tenha sido lançado como um livro da área empresarial, publicado por editoras do setor e exibido nas seções de negócios das livrarias, ele começou a ser apreciado cada vez mais como uma obra de auto-ajuda. Os que começaram a aplicar essa idéia na vida pessoal ficaram tão entusiasmados com os resultados que deram início a um processo de divulgação entre os amigos que acabou ganhando grandes proporções.

Embora já tenham se passado mais de sete anos, ainda recebo um grande número de cartas e e-mails de toda parte do mundo. Poucas pessoas mencionam os negócios. Elas preferem contar o que a Grande Idéia fez por sua felicidade e eficácia, como as ajudou a se concentrar no pequeno número de relacionamentos e questões significativas em sua vida, como aumentou seu sentimento de liberdade e como impulsionou suas carreiras e lhes permitiu escapar da acirrada "corrida de ratos". O uso desse princípio, segundo elas, permitiu que se livrassem da culpa que as fazia perder tempo se dedicando intensamente a questões que não eram importantes. O Princípio 80/20 as recolocou em contato com o que são e com o que de fato querem da vida.

No que me diz respeito, isso é a mais pura verdade. O Princípio 80/20 me ajudou a perceber o que era significativo para mim. Em 1990, abandonei uma carreira convencional: deixei de ser consultor administrativo e iniciei uma vida nova. Eu sabia que precisava manter o sentido de realização pessoal e que isso envolvia um "trabalho". Mesmo assim, decidi que minha vida dirigiria minha atividade profissional, e não o contrário. Desde então, venho me dedicando a um grande número de projetos – escrevo livros e ao mesmo tempo sou um "empresário preguiçoso", isto é, crio novos negócios, mas não me envolvo no trabalho pesado, a não ser que algo me entusiasme a esse ponto.

À exceção de um ano de trabalho na África do Sul, não tive um "emprego regular" desde que tomei aquela decisão. Venho reservando grande parte do meu tempo à família, aos amigos e simplesmente a aproveitar a vida. Tenho casas em Londres, na Cidade do Cabo e na região mais ensolarada da Espanha. Curto cada um desses lugares – em geral, na companhia de bons amigos – vários meses por ano. Ainda assim, *não* estou aposentado. Por qualquer padrão objetivo, tenho alcançado mais realizações com esse estilo de vida relaxado do que jamais obtive quando trabalhava por todas aquelas horas.

Estou convencido de que trabalhar menos e se dedicar mais às próprias paixões é algo que pode garantir um tremendo benefício a qualquer pessoa. Reequilibrar a vida não apenas proporciona mais saúde e felicidade como também conduz, provavelmente, a um sucesso muito maior – seja qual for a definição que se dê a ele.

Por que este novo livro?

Ele não teria sido escrito se não fosse por duas pessoas. A primeira, Steve Gersowsky, um amigo que dirige um restaurante na Cidade do Cabo. Steve é brilhante, dinâmico e muito sagaz. Fiquei surpreso quando ele disse:

– Tentei ler *O Princípio 80/20*, mas achei difícil demais. Não consegui ir além da página 10.

– Está brincando! – comentei.

Então vi que a falha não fora de Steve, e sim minha. Embora eu achasse o livro leve e simples, precisei admitir que há ilustrações sobre negócios que levam muitas pessoas que não são do mundo empresarial a desistir. Como a seção sobre negócios é a primeira, isso dá a impressão de que o conceito é algo difícil, apesar de ser muito fácil de entender.

Laurence Toltz, um amigo australiano, também inspirou o presente livro.

– O que você escreveu é fantástico – disse ele. – Mas o ideal é que pessoas de todos os níveis de renda e instrução possam usar esse conceito. Que tal explicar como todos podem adotar o Princípio 80/20 para lidar com os problemas da vida? Você faria um livro para pessoas não ligadas ao mundo dos negócios e sem formação universitária? Poderia mostrar a elas como aplicar o Estilo 80/20 em questões simples, como o que fazer para conseguir o trabalho de que gostam ou acertar as próprias finanças?

– Sim – respondi. – Ótima idéia! Vou começar logo.

E aqui está o livro.

Como o Estilo 80/20 funciona?

Este livro é inteiramente sobre isso. Vou dar uma breve explicação do que se trata. Ele gira em torno de duas idéias:

- ❑ A lei do foco, ou da concentração: *menos é mais*.
- ❑ A lei do progresso: podemos criar *mais com menos*.

A idéia do foco é fácil de entender. No capítulo 1, esboçarei o conceito de que 80% do que queremos é gerado por

20% do que fazemos. Por isso, quando se trata de obter os resultados que desejamos, de ajudar pessoas e causas que são realmente significativas para nós, apenas poucas coisas importam. O resto é desperdício.

Se aprendermos a identificar o que é prioritário e acrescentarmos mais valor à nossa vida – se passarmos a *focalizar* o que consideramos mais relevante –, descobriremos que menos é mais. Ao nos voltarmos para um número menor de questões – os poucos aspectos que de fato valorizamos e os que funcionam do modo que queremos –, a vida se torna mais significativa e compensadora. Este livro ajudará você a definir o que considera fundamental e a se concentrar nessas coisas.

A segunda idéia – a de que podemos *criar mais com menos* – não é tão óbvia. A lei do progresso diz que sempre é possível obter ou realizar com êxito uma quantidade maior daquilo que desejamos à custa de *menos* energia, suor e preocupações. Esse conceito, de que somos capazes não só de melhorar tremendamente as coisas como também de fazer isso com menos esforço, é tão inovador, tão contrário à crença convencional, que vale a pena examiná-lo com bastante atenção.

Este livro mostra como aplicar os critérios *menos é mais* e *mais com menos* a si mesmo, ao trabalho e ao sucesso, às finanças, aos relacionamentos e à boa e simples vida. Ele ajudará você a desenvolver um plano de ação para transformar sua vida.

PARTE UM

Introdução

CAPÍTULO 1

Qual é a Grande Idéia?

"Não precisamos fazer coisas extraordinárias para obtermos resultados extraordinários."

– Warren Buffett

A vida moderna é um equívoco. Não estou me referindo ao maravilhoso progresso nas áreas de ciência e tecnologia e no mundo empresarial, pois isso nos tem permitido comer melhor, rejuvenescer, viver mais, debelar doenças, viajar com facilidade e dispor de maior conforto do que no passado.

O que é um erro é o modo como organizamos nossa vida pessoal e social. Em vez de trabalharmos para viver, vivemos para trabalhar. Se tivéssemos mais autoconfiança e seguíssemos a filosofia certa, alcançaríamos mais objetivos do que agora e curtiríamos mais nossa atividade profissional – ainda que trabalhando muito menos horas e dedicando uma parte maior da energia para a família e a vida social.

Isso seria uma mudança importante na maneira como vivemos. Hoje, o progresso corre às avessas. Antes, adotávamos um ritmo mais relaxado, tínhamos mais tempo livre, o compromisso com a família e os amigos era maior, havia mais igualdade e fraternidade social e também mais civilidade com os estranhos. Além disso, o estresse e a depressão eram menos freqüentes, não existia tanta dependência do álcool e das drogas nem de dinheiro e poder. Agora, temos mais consciência de nós mesmos e da nossa individualidade, porém muitas pessoas estão aterrorizadas com a nova liberdade. Vivemos muito mais preocupados em meio a uma busca desesperada pela ilusão de segurança, que, apesar do nosso esforço frenético, se torna cada vez mais distante.

A vida hoje em dia se divide em pista rápida e pista lenta. Ambas são menos agradáveis do que a pista ampla do passado. Para muitos, a pista lenta corresponde à insegurança financeira: ganhos insuficientes, situação social insatisfatória, medo do desemprego e privação das crescentes comodidades materiais acessíveis apenas aos que estão na outra pista. Mas a pista rápida também tem seus riscos. Para um grande número de pessoas, ela significa uma obsessão única em avançar, um compromisso total com o trabalho à custa das relações pessoais, além de um estilo de vida frenético em que a atividade profissional se sobrepõe a todo o resto. A pista rápida também causa ansiedade e pobreza, embora seja pobreza de tempo e amor, e não de dinheiro.

Caso essa análise de vantagens materiais e desvantagens pessoais da vida moderna leve você a refletir, tenho uma grande notícia. Se aceitarmos que a vida moderna funciona nos níveis material, científico e tecnológico, mas freqüentemente prejudica nossa vida pessoal, posso declarar que há uma nova saída para esse impasse.

Refiro-me ao Princípio 80/20, a observação de que, em geral, 80% dos resultados se originam de 20% ou menos das causas. Mais adiante neste capítulo, explicarei como esse preceito funciona e darei uma série de exemplos de sua utilização. No momento, porém, direi apenas que, embora o Princípio 80/20 tenha sido usado com êxito nas empresas e na economia, proporcionando progresso ao mundo moderno, ele ainda não foi aplicado, na mesma escala, à vida das pessoas. *Se isso acontecesse*, poderíamos aproveitar muito mais os nossos dias, trabalhar menos e alcançar mais objetivos.

Na verdade, o melhor modo de obter *mais* é fazer *menos*. *Menos é mais* quando nos concentramos nas poucas coisas realmente importantes e que proporcionarão felicidade a nós mesmos e àqueles a quem amamos.

"Que vida é essa se, **com tanto a fazer**, não temos ***tempo*** de **parar e contemplar**."

– *William Henry Davies*

Nos capítulos 2 e 3, explicarei de que maneira usar o Princípio 80/20 e por que ele pode promover uma mudança fundamental no modo como lidamos com as questões da vida. Mas quero dar um passo de cada vez. Primeiro, apresentarei esse princípio, que é uma das descobertas mais revolucionárias, surpreendentes e abrangentes dos últimos 200 anos.

Se usássemos 100 pessoas para formar uma equipe de 80 integrantes e outra de 20, seria de se esperar que a de 80 realizasse quatro vezes mais. E, se escolhêssemos as pessoas ao acaso, algo semelhante provavelmente aconteceria.

Contudo, imagine um mundo ***esquisito***
onde as **20** pessoas obtêm
mais resultados
do que as outras **80**.

Faça o mundo esquisito ficar mais estranho. Suponha que as 20 pessoas não apenas obtêm mais resultados do que as 80, mas que alcançam *quatro vezes mais*. Isso contraria totalmente a expectativa. Era de se esperar que os 80 indivíduos conseguissem um resultado quatro vezes maior do que os outros 20. No entanto, nesse mundo curioso e invertido, imaginamos o oposto: as 20 pessoas é que conquistam o resultado quatro vezes maior.

Impossível? Improvável? De fato, esse mundo esquisito, embora não inconcebível, deve ser raro.

Mas se um dia descobríssemos que, longe de ser incomum, o mundo esquisito fosse, na verdade, corriqueiro, isto é, que o mundo quase sempre se divide em poucas influências muito poderosas e uma massa de outras sem a mínima importância. Será que isso transformaria toda a nossa visão?

É o que acontece quando entendemos o Princípio 80/20.

Descobrimos que os 20% principais de quaisquer causas que possamos medir – como pessoas, forças naturais, dados econômicos – conduzem *habitualmente* a cerca de 80% dos resultados, conseqüências ou efeitos.

Contando as principais cidades da Inglaterra, descobri que as 53 maiores entre elas tinham 25.793.036 habitantes e que as 210 seguintes tinham 6.539.772. Isso é uma relação 80/20 incrivelmente precisa: 20,2% das cidades têm 79,8% das pessoas.[1]

Vale a pena explicar o cálculo:

- ❏ 53 das 263 cidades = 20,2% das pessoas
- ❏ 25.793.036 das 32.332.808 pessoas = 79,8%

O poder do Princípio 80/20 é o fato de que ele *contraria a intuição*, ou seja, não mostra o que esperamos. A impressão é que somos programados – talvez pela cultura liberal ou por um inato senso de justiça – a aguardar o quadro mostrado na figura 1, em que causas e resultados estão aproximadamente equilibrados:

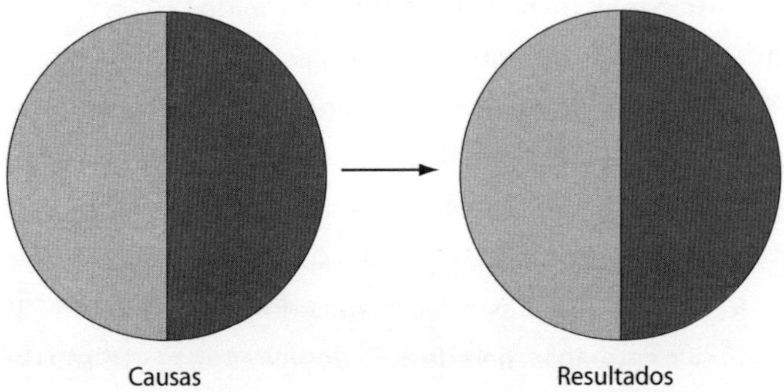

Figura 1 Causas e resultados: o que esperamos

Em vez disso, obtemos algo totalmente diferente, mais parecido com a situação na figura 2:

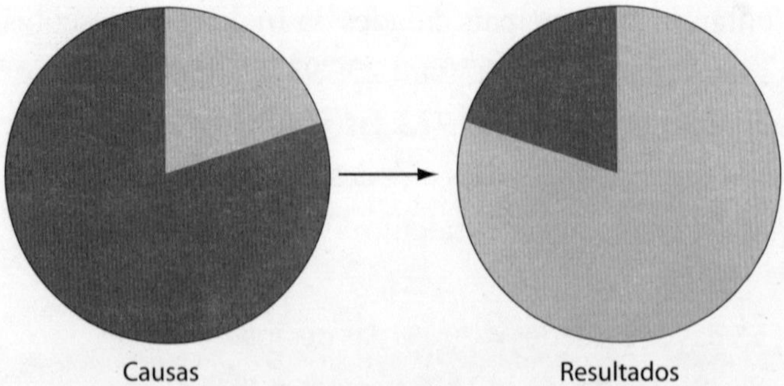

Figura 2 Causas e resultados: o que realmente acontece

Veja outros exemplos:

- Cinco pessoas se reúnem para jogar pôquer. É provável que uma delas – 20% – ganhe pelo menos 80% das apostas.
- Em qualquer grande loja de varejo, 20% dos vendedores ganharão mais de 80% de cada real vendido.
- Estudos mostram que 20% dos clientes respondem por mais de 80% dos lucros de qualquer negócio. Por exemplo, o Royal Bank of Canada, com sede em Toronto, calculou o lucro que cada um de seus clientes gera. Foi espantoso saber que 17% deles proporcionavam 93% dos lucros.
- Menos de 20% das celebridades dominam mais de 80% da mídia, enquanto mais de 80% dos livros vendidos são de 20% dos autores.
- Mais de 80% das descobertas científicas são realizadas por 20% dos cientistas. Em cada época, são uns poucos especialistas célebres que fazem a maioria delas.
- As estatísticas de crimes mostram com regularidade que cerca de 20% dos ladrões fogem com 80% do que encontram.

Quem se sai melhor no programa Encontro Rápido?

A última moda entre os solteiros em Nova York e Londres - embora isso possa ter mudado quando você estiver lendo este livro - é participar do programa Encontro Rápido (Speed Dating).

Vou explicar resumidamente como funciona. Os organizadores reúnem de 20 a 40 pessoas numa sala. As mulheres sentam-se às mesas. Os homens deslocam-se de cadeira em cadeira para falar com elas. Cada par dispõe de três a cinco minutos para conversar antes que o homem se dirija à próxima mulher. Todos os presentes exibem um crachá com um número exclusivo. As pessoas podem anotar o número de qualquer participante com quem queiram ter um encontro romântico. No fim da noite, os organizadores recolhem os números que foram anotados e identificam as pessoas que manifestaram interesse recíproco. No dia seguinte, enviam e-mails com os nomes e os detalhes de contato.

Um dos organizadores desses eventos nos Estados Unidos confirma que um grupo relativamente pequeno de participantes costuma receber a maioria dos convites para os encontros. "Pelo menos 75% do interesse é dirigido a cerca de 25% das pessoas. Em geral, elas são as mais atraentes. Mas é verdade também que quase 50% das que se saem bem já haviam participado do programa, por isso se sentem mais confiantes", diz ele.

Parece que para se conseguir um grande número de encontros uma boa idéia é participar do programa no mínimo duas vezes.

Observe que o Princípio 80/20 é a mera representação simbólica de uma relação muito desproporcional entre causas e efeitos. Não é necessário que a soma dos números seja 100. Alguns casos podem conter uma relação 70/20: 20% de causas leva a 70% dos resultados. Essa divisão também pode ser 80/10, 90/10 e até 99/1.

Com freqüência encontramos um quadro até mais extremo do que o da relação 80/20, em que muito menos do que 20% das causas – em alguns casos até 1% ou menos – produzem pelo menos 80% dos resultados. Veja a seguir alguns exemplos muito esquisitos.

- ❑ A Betfair, a principal "bolsa de apostas" do mundo, em que as pessoas apostam entre si, diz que 90% do dinheiro movimentado ali vem de 10% dos clientes.
- ❑ Na Indonésia em 1985, os residentes chineses totalizavam menos de 3% da população, mas eram donos de 70% da riqueza do país.[2] Da mesma forma, os chineses correspondem apenas a 1/3 da população da Malásia, porém possuem 95% de sua riqueza.[3] Nas Ilhas Maurício, embora as famílias francesas representem somente 5% da população, elas detêm 90% da riqueza local.
- ❑ Dos 6.700 idiomas, 100 deles – que correspondem ao grupo principal de 1,5% – são usados por 90% da população mundial.
- ❑ Numa experiência, o psicólogo Stanley Milgram escolheu ao acaso 160 cidadãos de Omaha, Nebraska, e lhes pediu que enviassem um pacote para um corretor de valores de Boston, mas não diretamente. Primeiro, tinham que mandar o pacote a alguém que conhecessem pessoalmente. Esse

indivíduo encaminharia então a encomenda a um de seus contatos pessoais que pudesse conhecer alguém que conhecesse uma pessoa com acesso ao corretor, e assim por diante. A maioria dos pacotes passou no máximo por seis etapas até chegar ao destino, o que estabeleceu a idéia dos "seis graus de separação". O fundamental para nós, no entanto, é que *mais da metade* dos pacotes entregues ao corretor foi mandada por apenas *três* indivíduos bem relacionados de Boston. Essas pessoas foram mais importantes para a obtenção do resultado desejado do que todos os outros habitantes da cidade.[4]

- ❑ As epidemias são causadas por uma quantidade ínfima de casos que produz um efeito totalmente desproporcional em relação ao seu número. Por exemplo, num surto de gonorréia em Colorado Springs, os bairros que concentravam apenas 6% da população da cidade apresentaram 50% dos casos. A investigação revelou que 168 pessoas, que se encontravam em seis bares, haviam causado a epidemia. Assim, menos de 1% da população de Colorado Springs foi responsável por 100% de todas as ocorrências da doença.[5]
- ❑ Os americanos representam menos de 5% da população mundial, mas consomem 50% da cocaína do planeta.
- ❑ Bem mais do que 80% da riqueza criada por novos negócios é gerada por menos de 20% das pessoas que os iniciam. Provavelmente apenas 1% dos empreendimentos lançados nos últimos 30 anos – inclusive a Microsoft, que vale mais de US$200 bilhões – respondem por 80% do valor que geram. Da mesma forma, 1% dos empresários – sobretudo Bill Gates, que tem mais de US$30 bilhões – produzem mais de 80% do dinheiro das novas empresas.

- Arquivos históricos revelam que os espiões da polícia na Europa sabiam da existência de milhares de "revolucionários profissionais" entre 1847 e 1917. Mesmo assim, apenas um deles – Vladimir Ilitch Ulianov, ou Lenin – deflagrou de fato uma revolução duradoura. Portanto, um revolucionário em mais de 3 mil – ou 0,03% dos revolucionários – desencadeou 100% das revoluções de sucesso entre aquelas datas. Embora esse seja um exemplo extremo, a história está cheia de casos em que um pequeno número de pessoas a desviou do seu curso.

Sem dúvida, os 20% das pessoas que respondem por 80% ou mais dos resultados, sejam estes últimos bons ou maus, não são escolhidos ao acaso. Esses indivíduos não são comuns. São interessantes porque produzem resultados pelo menos 10 ou 20 vezes maiores do que os gerados por outras pessoas. Como os grandes realizadores não são 10 nem 20% mais inteligentes do que os outros, seus métodos e recursos é que são extraordinariamente poderosos.

Aplicação ilimitada

O Princípio 80/20 se aplica não apenas a grupos de pessoas e seus comportamentos, mas virtualmente a todos os aspectos da vida. Existe sempre uma minoria de forças muito poderosas e uma grande massa de forças sem importância. Por exemplo:

- Vinte por cento dos países, que concentram muito menos do que 20% da população mundial, consomem 70% da energia, 75% dos metais e 85% da madeira de todo o planeta.

- Muito menos do que 20% da superfície da Terra produz 80% de sua riqueza mineral.
- Menos do que 20% das espécies causam mais de 80% da degradação ecológica. Estima-se que apenas uma espécie entre os 30 milhões existentes – isto é, 0,00000003% – é responsável por 40% do dano. Não são concedidos prêmios a quem adivinha qual é a espécie.
- Uma porcentagem muito pequena dos meteoritos que caem na Terra provoca mais de 80% dos estragos.
- Menos de 20% das guerras produzem mais de 80% das vítimas.
- No Alasca, a maioria dos filhotes de foca morre bem jovem – 80% dos sobreviventes são de 20% das mães.
- Onde quer que você esteja, menos de 20% das nuvens darão origem a 80% das chuvas.
- Menos de 20% de todas as músicas são tocadas mais de 80% do tempo. Se você for a um show de rock ou a um concerto de música erudita, verá que muitas das velhas composições – uma pequena porção do repertório total disponível – serão tocadas.
- Na maioria dos museus de arte, menos de 20% dos tesouros dos acervos permanecem em exibição mais de 80% do tempo.
- Menos de 20% das invenções exercem mais de 80% de impacto em nossa vida. No século XX, a energia nuclear e o computador tiveram, provavelmente, maior influência do que milhares de outras criações e novas tecnologias.
- Mais de 80% dos alimentos têm origem em menos de 20% da terra. Além disso, a fruta costuma corresponder a muito menos de 20% da massa ou do peso da árvore. E a carne é a redução de grandes quantidades de grama ou grãos digeridos.
- As bebidas também são uma demonstração extrema do Princípio 80/20. O que torna a Coca-Cola tão mais valiosa do que

qualquer outro refrigerante do planeta? A fórmula sagrada para pequenas quantidades de um concentrado que, misturado a grandes volumes de água, produz a "Coca". Ou o que há na cerveja que distingue as marcas dessa bebida umas das outras? Proporções minúsculas de lúpulo e outros sabores.

- Na verdade, todo o processo da vida, da bolota ao carvalho, do grão de trigo a uma região produtora de trigo, é a expressão perfeita do Princípio 80/20 levado às últimas conseqüências. Causas diminutas, resultados imensos.
- Finalmente, a evolução apresenta um impressionante exemplo de seletividade. Segundo a avaliação do biólogo Richard Dawkins, 1% das espécies que já viveram algum dia no planeta constituem 100% das espécies atuais.

O Princípio 80/20 pode ser aplicado a tudo na vida. Isso é surpreendente e até espantoso. Não é o que esperamos. Há um grande desequilíbrio entre causas e efeitos.

A maioria das causas produz um pequeno número de resultados,

enquanto umas poucas causas *transformam a vida*.

Muita gente acredita que o Princípio 80/20, com sua ênfase nos 20% principais, é essencialmente elitista. Mas isso é uma idéia errada. É uma falácia dizer que há algum tipo de restrição por parte de quem usa esse princípio ou que, para uma pessoa ganhar, outra precisa ter uma perda correspondente.

Ser contrário ao aperfeiçoamento por considerá-lo elitista reflete uma mentalidade equivocada: o progresso é desejável e ajuda a todos. A perfeição e a igualdade são ambas impossíveis – e, na minha opinião, também indesejáveis. O Princípio 80/20 não é mais elitista, por exemplo, do que dinheiro, propriedade privada e vacinas contra doenças. Recusar-se a usar qualquer um desses recursos sob o pretexto de que são discriminatórios é um comportamento tolo. Esses são meios que nos proporcionam benefícios.

Qualquer um pode aprimorar a própria vida usando o Estilo 80/20, que é a aplicação do Princípio 80/20 no dia-a-dia, com o objetivo de diminuir o esforço e as preocupações e aumentar a felicidade e os resultados desejados. Empregamos esse estilo para seguir o padrão do universo e alcançar efeitos melhores com mais facilidade. Quando fazemos isso, outras pessoas também saem ganhando.

O que aconteceria se *todos nós* usássemos o Estilo 80/20? Estaríamos numa situação mais confortável. Haveria ainda os 20% principais e os 80% da base em tudo? Certamente. Caso contrário, nenhum avanço seria possível. Somente se alcançássemos a utopia ou o nirvana (um mundo perfeito), o Princípio 80/20 deixaria de funcionar. Por sorte, isso não vai acontecer: sempre teremos algo para melhorar.

Como sei por experiência própria – e como milhares de pessoas descobriram – a aplicação do Princípio 80/20 pode exercer uma enorme influência não apenas na economia e na sociedade como também na vida pessoal. Ele é capaz de nos proporcionar felicidade, realização e tranqüilidade. Começamos produzindo mais com menos...

CAPÍTULO 2

Crie mais com menos

"Muitas pessoas poderiam ir para o céu com metade do esforço com que vão para o inferno."

– Ben Jonson

Toda a história humana, todo o progresso da civilização, gira em torno de obter mais com menos.

Há quase 8 mil anos, os seres humanos passaram da caça de animais selvagens e da coleta de frutos silvestres para o sistema agrícola, cultivando a terra e domesticando animais. Nossos ancestrais obtiveram uma quantidade maior e melhor de alimentos com muito menos luta e riscos.

Até 300 anos atrás, 98% da população ativa trabalhava arduamente nos campos. Então uma nova revolução agrícola usou máquinas para transformar os níveis de produtividade. Hoje, nos países desenvolvidos, a agricultura emprega apenas de 2 a 3% da força de trabalho e, ainda assim, produz uma quantidade muito maior de alimentos, que são também mais variados e nutritivos. Isso é criar mais com menos.

A auto-estrada do progresso econômico nos últimos 400 anos também tem seguido essa filosofia: identificar os poucos métodos e forças mais produtivos (os 20%) e multiplicá-los para se obter uma produção maior a partir de um número mais restrito de recursos. Tem-se usado uma quantidade cada vez menor de terra, capital, mão-de-obra, materiais e tempo para gerar resultados mais significativos e melhores: mais aço utilizando-se menos minério de ferro, capital e mão-de-obra; mais e melhores carros empregando-se menos energia e custo; mais bens de consumo de todos os tipos, com mais dispositivos e melhor qualidade, por preços mais baixos.

Há um século, os computadores não existiam. Há 40 anos, algumas dessas máquinas – enormes e barulhentas – eram fabricadas com imenso esforço e custo. O poder do processamento de dados em todo o planeta era então muito menor do que o do pequeno laptop que tenho hoje. Os computadores continuam ficando cada vez mais baratos, menores, mais fáceis de usar e mais poderosos. Eles são o exemplo do critério mais com menos.

Todo avanço material da humanidade proporciona mais com menos em termos de ciência, tecnologia, padrão de vida, habitação, alimentação, saúde, longevidade, lazer, transporte e em tudo o que torna a vida hoje tão mais rica e mais prazerosa do que no passado.

Podemos obter mais com menos apenas excluindo algo. A álgebra faz isso: ela nos permite computar com mais facilidade deixando os *números de lado*, a base de todos os avanços da programação de computador. A web opera retirando a distância e a localização da equação. O walkman da Sony, uma inovação brilhante, é, na verdade, um toca-fitas sem o amplificador e os alto-falantes – ainda assim, cria um modo fantasticamente versátil de ouvirmos música em qualquer lugar. Um martíni seco é um grande drinque que não leva Martíni.[1] A indústria de fast-food nada mais é do que uma série de restaurantes sem os garçons.

Não é exagero dizer que a idéia do mais com menos é o princípio básico que a ciência, a tecnologia e o mundo empresarial empregam para fazer com que os padrões de vida avancem em todas as áreas.

O Princípio 80/20 diz que uma pequena quantidade de causas cria a maioria dos efeitos. Portanto, se sabemos quais são os resultados que desejamos, podemos procurar um modo superprodutivo de obtê-los. Esse princípio garante que há um meio para isso. Realizar mais objetivos com menos é sempre possível, contanto que identifiquemos os 20% principais das causas, que podem ser pessoas, métodos ou recursos extremamente criativos e produtivos.

As empresas e os países que concebem maneiras de oferecer maior valor com menos, isto é, empregando uma quantidade menor de esforço, mão-de-obra e dinheiro, prosperam. O que não significa que possam descansar sobre os louros, pois há sempre um modo de proporcionar mais com ainda menos, e alguém logo o descobrirá. Com o Princípio 80/20, o progresso econômico não pára.

Não aplicamos o mais com menos na nossa vida pessoal

Embora no mundo moderno tenhamos adotado a lei do progresso – o princípio econômico e científico do mais com menos –, temos falhado em empregar esse mesmo critério na organização da nossa vida pessoal e social. No caso das pessoas, a filosofia tem sido *mais com mais*. Para obtermos mais dinheiro, mais status, um trabalho mais interessante, uma vida excitante, parece que precisamos nos dedicar cada vez mais à profissão, à empresa e aos clientes. Às vezes, não sobram tempo e energia para nós mesmos nem para a família e os amigos – muito menos para que possamos relaxar e recarregar as baterias criativas.

Na pista rápida, a vida se transforma no trabalho. Há certamente mais desafio, estímulo e dinheiro, mas isso gera também uma total submissão às exigências da atividade profissional, esgotamento e uma grande ansiedade.

Como é possível usarmos com êxito
o princípio ***mais com menos***
na ciência, na tecnologia e nos negócios
e, mesmo assim, continuarmos a insistir na idéia
mais com mais
quando se trata da nossa vida profissional?

Se o critério mais com menos dá resultados para empresas e economias, deveria funcionar para pessoas também. Na verdade, sei que ele faz isso. Comprovei essa tese por experiência própria e por ver muitos amigos e conhecidos obtendo mais com menos: mais satisfação, mais realização pessoal, mais dinheiro, mais felicidade, relacionamentos melhores e uma vida mais equilibrada e tranqüila com menos esforço, sangue, suor e lágrimas.

Grande parte do que fazemos absorve energia, porém é totalmente inútil. A preocupação é um exemplo básico disso.

Ela *nunca* tem utilidade. Nos momentos em que nos sentimos apreensivos, deveríamos agir em vez de nos preocupar ou, então, decidir não fazer nada e não nos afligir. Se podemos tomar uma atitude para evitar algo ruim ou reduzir as chances de que esse fato ocorra – e a ação vale a pena –, o ideal é executá-la e esquecer as inquietações. Por outro lado, se não temos condições de controlar nem de influenciar o que vai acontecer, a preocupação só causará aflição e não ajudará em nada. Nesse caso, não deveríamos agir nem nos angustiar. As perturbações sempre surgirão, contudo podemos nos livrar delas nos decidindo imediatamente pela ação ou pela inação – mas, em ambas as situações, sem nos preocupar.

Temos um grande projeto à frente: nada menos do que reverter nossos hábitos de trabalho e o modo como vivemos, substituindo o *mais com mais* pelo *mais com menos* nas esferas pessoal, social e profissional.

Isso leva tempo. Os modismos sociais não se modificam com tanta facilidade e rapidez. A noção calvinista de que o esforço e a dificuldade são essenciais para o crescimento pessoal está tão enraizada na cultura e nas premissas de trabalho da vida moderna que será necessária uma geração para eliminá-la. No entanto, a beleza do Estilo 80/20 é que não precisamos esperar. Podemos começar a usá-lo e nos beneficiar dele imediatamente.

Como obter mais felicidade com menos esforço

O critério mais com menos é um instrumento prático que faz duas promessas:

- É sempre possível melhorar qualquer coisa na vida, não numa pequena escala, mas em grande escala.
- O modo de fazer esse progresso é perguntar: "O que me dará um resultado muito melhor com um gasto consideravelmente menor de energia?"

Não se trata de buscar esse avanço por meio de um esforço igual ou maior do que aquele que empregamos no momento. Um resultado muito melhor deve ser perseguido *com um esforço menor.*

Esperar obter mais com menos parece irracional, mas é justamente esse o motivo que torna possível um progresso surpreendente. A armadilha de despendermos mais energia para melhorar é que continuamos fazendo o mesmo tipo de esforço. Podemos aperfeiçoar as coisas, porém será uma evolução pequena e, mais cedo ou mais tarde, esse processo nos deixará esgotados. Em vez disso, torna-se claro que, para realizarmos a grandiosa demanda de conseguir mais com menos, teremos que planejar uma mudança profunda. Ao reduzirmos por vontade própria o que definimos como tarefa e, mesmo assim, pretendermos alcançar muito mais, nos forçaremos a pensar bastante e a fazer algo diferente. Essa é a raiz de todo progresso.

Pensar intensamente pode parecer um pouco assustador. No entanto, é bem melhor pensar mais, chegar a um resultado mais satisfatório e evitar uma boa quantidade de trabalho duro. Com um pouco de prática, pensar como obter mais com menos se torna prazeroso. O truque é escolher ações que ofereçam uma recompensa maior com menos gasto de energia.

Imagine-se como um homem das cavernas na cidade de Bedrock, terra natal dos Flintstones. Você precisa chegar de-

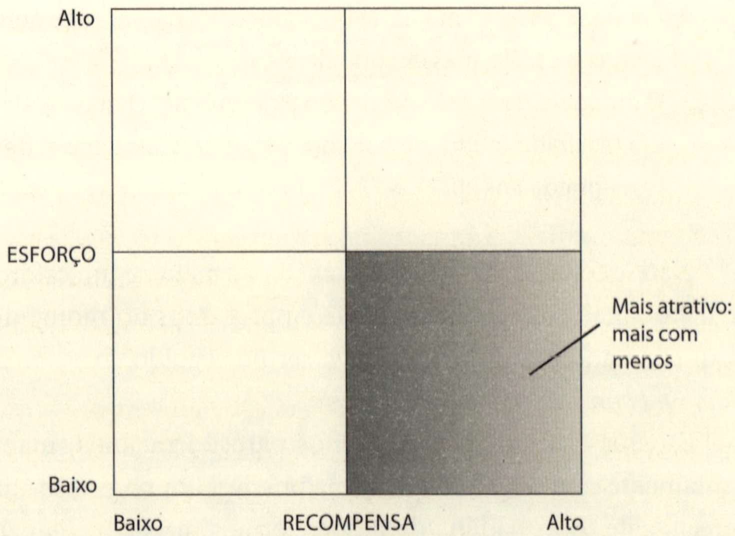

Figura 3 Diagrama do critério mais com menos

pressa ao outro lado da cidade. Suas alternativas são andar ou correr. Andando, você vai demorar muito. Correndo, irá mais rápido, porém fará mais esforço.

Correr seria cometer o equívoco moderno de buscar mais com mais. É a armadilha clássica de tentar obter um resultado melhor intensificando o empenho.

O Estilo 80/20 é diferente. Com ele fazemos a superexigência de obtermos um resultado bem melhor com muito menos esforço. No entanto, uma vez que sabemos que conseguir mais com menos é possível, continuamos a pensar até encontrarmos a solução usando esse critério. Como atravessar Bedrock com mais rapidez, porém sem o esforço estafante de correr?

Poderíamos usar patins para nos deslocar com menos energia do que a necessária para correr e, mesmo assim, chegar mais depressa. Outra opção seria dar um passo mais ousado e pular nas costas de um amistoso brontossauro. Isso é mais com menos.

Imagine-se agora como um adolescente que está querendo ter um encontro romântico com alguém. O diagrama mais com menos para essa situação pode ser como o da figura 4.

Você pode ficar fantasiando como o encontro seria bacana e, mesmo assim, não fazer nada para que ele aconteça. Isso é fácil, porém inútil.

Outra opção é procurar atrair a atenção para si mesmo, talvez tornando-se presidente do grêmio da escola ou ganhando uma competição esportiva. No entanto, existe a possibilidade de que a pessoa em quem você está interessado não note ou não dê importância a coisas desse tipo. Assim, essa seria uma abordagem de alto esforço e de recompensa insatisfatória.

Há também a alternativa de passar um bom tempo tentando conquistar os pais dessa pessoa, na esperança de que eles consigam marcar o encontro para você. Isso pode até funcionar, mas exigirá um esforço extraordinário.

Ou você pode simplesmente se aproximar do objeto do seu desejo, sorrir com franqueza e convidá-lo para sair – uma abordagem fácil e com probabilidade de dar certo.

Esse é um exemplo óbvio, porém podemos criar um diagrama de mais com menos para qualquer coisa na vida. Com um pouco de imaginação, encontraremos uma solução de recompensa mais alta e que demande menos energia.

Não estou dizendo que temos que optar pelo caminho fácil nem que jamais devemos nos dedicar 100% a uma atividade ou causa que tenhamos em alta conta. A escolha é nossa. Se optarmos pelas ações certas, podemos trabalhar sem esforço e

Figura 4 Adolescente desejando um encontro

obter muito, como também podemos nos empenhar integralmente no que fazemos e conquistar ainda mais.

Pense em qualquer grande cientista, músico, artista, pensador, filantropo ou líder empresarial.

- ❑ Eles atingem o sucesso tentando fazer algo que consideram fácil e natural ou procurando realizar um projeto que seja difícil e incomum?
- ❑ Eles têm êxito porque se dedicam de corpo e alma ao que fazem ou porque, ao contrário de outras pessoas, apresentam mais facilidade de se destacar no campo que escolheram?
- ❑ Eles trabalham duro porque se sentem culpados ou porque se identificam com a atividade que realizam, acreditam nela e a amam?

Mesmo quando trabalham para valer, seu empenho é comedido – eles obtêm um retorno enorme para o esforço que empregam.

Na vida pessoal, há sempre coisas que podemos fazer que funcionam muito bem e exigem pouco dinheiro e empenho. Vou dizer algo piegas, mas verdadeiro: as melhores coisas da vida *são* grátis – ou custam quase nada – e proporcionam um resultado fantástico.

Agradecer, demonstrar reconhecimento e afeição, observar o nascer ou o pôr-do-sol, cuidar de um animal de estimação ou de uma planta, sorrir para um conhecido ou para um estranho, realizar um ato eventual de bondade, curtir uma caminhada num belo lugar são algumas maneiras de obter mais com menos. A recompensa é desproporcional ao esforço.

Se você pensar no assunto, verá que o único modo de "dar saltos" para a frente na vida é ir em busca do mais com menos. Essa idéia é bela porque pode ser aplicada a tudo. E sempre dá certo. As respostas que obtemos podem ser preservadas para sempre. O problema com o critério mais com mais é que ele não se sustenta. O conceito mais com menos é fácil de manter e levar adiante. Um pouco de pensamento antecipado é um preço baixo para uma recompensa que se estenderá por toda a vida.

O que é difícil se torna fácil

Outro elemento do critério mais com menos que pode fazer uma diferença significativa em nossa vida é o papel do hábito. A primeira vez que realizamos alguma coisa é sempre a mais difícil. No entanto, essa ação se torna progressivamente mais fácil quanto mais a executamos. Um ótimo exemplo é o exercício. Caminhar 8km exige um grande esforço na primeira vez. Porém, se praticarmos essa atividade todos os dias, ela passará a ser simples. Na verdade, o corpo e a mente acostumam-se a tudo o que fazemos após duas semanas: aquilo se transforma em algo natural.

O que é difícil se torna **fácil**,
enquanto o que é fácil
costuma criar ***dificuldades***.

Embora possamos mudar nossos hábitos a qualquer momento, é mais simples fazer isso mais cedo na vida. Se sempre optarmos pelo que é fácil – como comer demais, ficar aborrecido à mínima provocação ou ir de carro a todos os lugares em vez de caminhar –, teremos mais dificuldade em alterar esses tipos de comportamento após alguns anos. Por outro lado, se fizermos *algumas poucas coisas que valham muito a pena* e que são difíceis de iniciar, logo descobriremos que elas se tornam fáceis.

Em alguns casos, é imprescindível manter o hábito, pois a falta de continuidade pode nos fazer perder os bons resultados pelos quais trabalhamos duro. Por exemplo, não importa se seguimos um intenso programa de exercícios físicos – após um mês de inatividade, perdemos quase todos os benefícios que conquistamos. Por que desperdiçar tanto esforço se alguns hábitos que se tornam naturais podem nos dar uma disposição saudável todos os dias?

Obteremos mais recompensa gastando menos energia se adquirirmos hábitos compensatórios mais cedo. No entanto, dada a natureza humana, é melhor sermos *seletivos* em relação às práticas que vamos incorporar à nossa vida. Conquistaremos mais felicidade com menos esforço se escolhermos cuidadosamente alguns hábitos excelentes que gostaríamos de ter e os dominarmos com destreza, sem nos voltarmos para todos os outros que, em tese, poderíamos cultivar. Há um limite para o número de bons hábitos que a maioria das pessoas consegue ter. Entretanto, um pequeno número deles exerce uma influência extraordinária em nossa felicidade por toda a vida – isto é, uma grande quantidade de benefícios resulta de apenas um pouco de empenho antecipado.

Cabe a você decidir que novos hábitos altamente compensatórios cultivará a partir de agora (lembre-se de que sairá perdendo se deixar para adotá-los mais tarde). Não escolha um hábito porque ele é "bom" do ponto de vista moral, e sim porque lhe proporcionará um imenso benefício. Selecione apenas sete práticas que possam lhe dar grandes recompensas – elas serão suas amigas por toda a vida.

Veja a seguir exemplos de hábitos que geram excelentes resultados (verifique se eles são importantes para você). Escolha sete deles e passe a obter mais felicidade com menos esforço.

Hábitos que podem proporcionar benefícios por toda a vida

Hábito	Benefício
Praticar exercícios físicos diariamente	Melhora a saúde, torna o corpo mais atraente, proporciona sensação de bem-estar.
Praticar exercícios intelectuais diariamente	Preserva a atenção, aumenta a inteligência, estimula o pensamento.
Realizar uma ação altruísta diariamente	Proporciona sensação de felicidade a quem a pratica.
Meditar ou pensar quietamente todos os dias	Remove o lixo mental, contribui para que se tomem decisões melhores.
Dar atenção diária ao parceiro amoroso	Cativa o companheiro e o deixa feliz.
Elogiar ou agradecer sempre que possível	Faz com que o outro e a própria pessoa se sintam bem.
Poupar e investir 10% dos ganhos financeiros	Garante um futuro livre de preocupações com dinheiro.
Ser generoso com os amigos	Aprofunda os relacionamentos e promove sensação de bem-estar.

(continua)

(continuação)

Ter sempre duas a três horas de puro relaxamento todos os dias[2]	Renova a energia e mantém a pessoa feliz e saudável.
Nunca mentir	Evoca confiança e reforça a reputação.
Manter-se sempre calmo e relaxado	Proporciona bem-estar, saúde e vida longa.
Concentrar-se no que é importante para a própria vida	Produz mais com menos.
Decidir *nunca* se preocupar: sempre *agir e não se preocupar* ou *não agir e não se preocupar*	Cria paz de espírito e reduz o esforço.
Perguntar-se sempre como *obter mais com menos*	Melhora consideravelmente qualquer situação.

Escolha os poucos hábitos altamente compensatórios que o farão mais feliz. A lista está longe de terminar. Portanto, acrescente quaisquer práticas que tenham o potencial de lhe proporcionar muita felicidade e, depois, domine com destreza seus sete hábitos.

Mais com menos: a última fronteira

O que é tão precioso para nós e que temos tão pouco? O que mais nos perturba quando o vemos acabar?

A resposta provavelmente é *o tempo*.

Pode parecer inacreditável que o critério mais com menos se aplique a algo que consideramos tão escasso na vida, como o tempo. No entanto, por mais estranho que pareça, isso é verdade.

CAPÍTULO 3

Temos todo o tempo do mundo

"O tempo é um deus gentil."

– SÓFOCLES

Aos 30 anos de idade, um operador da bolsa extremamente bem-sucedido resolveu ir para o Tibete, entrar para um mosteiro e realizar profundos estudos espirituais. No primeiro dia, enquanto seus colegas de treinamento seguiam o ritmo do lugar, ele foi ao encontro do mestre espiritual e perguntou:

– Quanto tempo uma pessoa costuma levar para alcançar a iluminação?

– Sete anos – respondeu o mestre.

– Mas fui o primeiro aluno da turma na Faculdade de Administração de Harvard, ganhei US$10 milhões na Goldman Sachs e, para me preparar para o mosteiro, fiz os melhores cursos de gerenciamento de tempo. De quanto tempo vou precisar se eu estudar intensamente e tentar queimar etapas?

O mestre sorriu e disse:

– Quatorze anos.

Por outro lado, você se lembra da história de Arquimedes? Certo dia, quando ele tomava banho tranqüilamente, percebeu que a água transbordava da banheira. Louco de alegria, pulou dali e saiu correndo nu pela rua principal de Atenas gritando a plenos pulmões: "Heureca! Heureca! Achei!"

Ele tinha acabado de descobrir uma teoria importante. Para isso fora necessário apenas um momento de inspiração enquanto estava relaxado, sem pensar muito em nada.

O tempo é assim: detestável quando tentamos ir mais rápido e um amigo querido sempre que desaceleramos o ritmo.

O que tem isso a ver com o Princípio 80/20? O tempo é talvez o melhor exemplo desse conceito e o mais precioso para nossa vida. Quando criamos algo de grande significado no trabalho, realizamos pelo menos 80% disso em 20% do tempo. Na vida pessoal, atingimos 80% da nossa felicidade e do bem, ou valor, que proporcionamos às pessoas queridas em 20% ou menos do nosso tempo.

Depois que percebemos isso, nossa vida se transforma. Subitamente, não há mais falta de tempo. A correria acaba. Se pensarmos de modo inteligente sobre o que somos capazes de conquistar com o tempo de que dispomos, podemos ficar relaxados, até mesmo um pouco preguiçosos. Na verdade, ser preguiçoso – ter tempo em abundância para pensar – pode ser uma precondição para realizar muito.

Isso era verdade para os gregos antigos. Dispondo de escravos para fazer todo o trabalho, eles passavam o tempo pensando, debatendo e relaxando em atividades de lazer. O resultado foi que produziram a maior civilização, ciência e literatura de que temos registro. Isso também se aplica à sociedade moderna. Como muitas pessoas não precisam dar duro com as próprias mãos, elas usam a mente para criar muita riqueza, ciência e cultura.

Contudo, há um paradoxo nessa questão. Nunca fomos tão livres, mas não conseguimos perceber a extensão dessa liberdade. Jamais tivemos tanto tempo, porém ele nos parece escasso. A vida moderna nos incita a acelerar o ritmo. Embora usemos a tecnologia para fazer tudo bem depressa, correr contra o relógio apenas nos deixa mais estressados. Ir mais rápido não nos dá mais tempo; ao contrário, nos faz sentir que estamos sempre atrasados. Lutamos contra o tempo, nosso inimigo imaginário. Temos a sensação de que ele vive acelerado, drenando nossa vida num ritmo alarmante.

Andrew Marvell escreveu:

"Mas às minhas costas sempre escuto
a carruagem alada do tempo, rápida, próxima."

Henry Austin Dobson observou:

"Você diz que o tempo passa? De modo nenhum.
Infelizmente, o **tempo fica**, nós é que passamos."

No entanto, Marvell, Dobson e a vida moderna estão todos errados. Podemos ter mais com menos: mais felicidade e mais resultados com menos tempo.

O Estilo 80/20 derruba a visão moderna do tempo e nos liberta para usufruir a vida sem nos preocuparmos com ele. O tempo não é escasso, nós o temos em abundância. Assim como nós, ele não precisa se apressar – pode ficar parado, trazendo-nos felicidade, realização pessoal e um sabor de eternidade.

O tempo é um mar sem fim. Nele podemos nadar felizes, confiantes, calmamente, livres da sensação de um desastre iminente. Afinal de contas, o velho Sófocles estava certo: o tempo é um deus gentil.

Existem duas maneiras de entendermos o tempo. Há a pequena quantidade de tempo (os 20% ou menos) que proporciona 80% do que desejamos. E há uma quantidade muito maior dele (os 80% ou mais) que responde por uns parcos 20% do que almejamos.

O tempo não transcorre num ritmo constante. Ele flui de modo irregular – em pequenos jatos ou aos borbotões, em pingos ou em torrentes. Há longos períodos em que nada acontece, no entanto também existem breves momentos de grande intensidade em que uma onda jorra transformando nosso mundo. A arte de surfar no tempo é saber dominar as ondas e deslizar sobre elas rumo à felicidade e ao sucesso. O tempo não é absoluto – tem relação com as emoções, a atenção e a capacidade de escolher os momentos certos para agir.

Há ocasiões em que estamos enlevados, tomados de felicidade, em total sintonia com o universo – são os instantes em que o tempo pára. Quase não temos consciência dele nem de nós mesmos. Nesses momentos, estamos intensamente concentrados, vivenciando um sentimento de calma ou contentamento interior.

"O tempo **passou voando**", dizemos.

"O dia simplesmente **SUMiu**."

Essas são as raras ocasiões em que nos sentimos mais felizes e em que mais alcançamos êxito em nossos projetos. Assim como Arquimedes, podemos ter uma idéia inspiradora ou reveladora. Ou tomar uma decisão que mude vidas. Esses instantes valem por dias, semanas, meses ou anos do "tempo normal".

Em outros momentos, acontecem poucas coisas relevantes. Ficamos entediados, infelizes ou desestimulados. Nesses dias sem graça, o tempo não passa correndo nem fica parado, ele se arrasta pesadamente.

O tempo da primeira categoria tem o mesmo caráter e valor que o da segunda categoria? Acredito que não. Um dia nesse privilegiado estado de intensa felicidade e concentração pode valer por toda uma vida de dias sem graça. *Menos é mais.*

O valor do tempo e nossa forma de vivenciá-lo dependem de como o usamos: de como nos sentimos em relação à vida naquele momento.

- ❏ É provável que experimentemos 80% da nossa felicidade em 20% do nosso tempo.
- ❏ É provável que 80% do nosso tempo tenha uma participação de apenas 20% na nossa felicidade.
- ❏ É provável que 80% das coisas que realizamos ocorram em 20% do nosso tempo...

- ...e 80% do nosso tempo responde por apenas 20% das nossas realizações.

Portanto,

- A maior parte do que fazemos possui um valor limitado para nós e para todas as pessoas. O escritor francês La Bruyère disse o seguinte: "Os que fazem o pior uso do tempo são os que mais se queixam de sua falta."
- Algumas coisas que vivenciamos e fazemos em muito pouco tempo são de enorme valor. Obtemos um resultado fantástico quando 20% do tempo nos proporciona 80% de felicidade ou de realizações – recebemos quatro vezes mais, ou 400% de retorno.
- Se fizermos bom uso de uma pequena parte do tempo, deixaremos de achar que é escasso. Considerando a idéia de que 80% do tempo responde por 20% do valor que criamos, então o resultado que ele nos proporciona é apenas 20 dividido por 80, ou 25%. A questão não é o tempo, e sim o modo como o empregamos – ele pode nos dar apenas 25% de retorno ou 400%.
- Se trabalharmos para nós mesmos e passarmos dois dias por semana realizando nossa atividade mais rentável, seremos capazes de obter 160% do valor que costumávamos levar cinco dias para produzir – e ainda teremos três dias livres para fazer o que quisermos.
- Podemos aumentar de modo considerável nossa qualidade de vida modificando o uso que fazemos do tempo. Se nos dedicarmos mais às poucas atividades que nos tornam felizes e produtivos e muito menos àquelas que nos absorvem por

longos períodos sem proporcionar altos níveis de alegria e realização pessoal, alcançaremos um progresso extraordinário – e com menos esforço.

- Normalmente, temos o tempo "bom", que é curto, e o tempo "ruim", que é longo. E se trocarmos esses parâmetros? Se fizermos com que o tempo "bom" se torne longo e que o "ruim" seja breve, revolucionaremos nossa vida.

É claro que a felicidade e a eficácia pessoal não podem ser dimensionadas com precisão. Os números 80 e 20 são medidas aproximadas. Mesmo assim, multiplicar o valor do nosso tempo por quatro – uma boa regra – é como viver para chegar aos 320 anos e não apenas aos 80, sem nenhuma das desvantagens da velhice.

Quais são suas ilhas de felicidade?

As *ilhas de felicidade* são as breves ocasiões – os momentos especiais, gloriosos – em que somos mais felizes.

Pense na última vez em que se sentiu verdadeiramente assim e depois tente se lembrar da ocasião anterior a essa.

O que esses momentos ou alguns deles têm em comum? Você estava num lugar específico, com alguém em especial ou realizava um tipo de atividade parecido em todos eles? Existem pontos em comum?

De que maneira você pode *multiplicar* o tempo que passa nas ilhas de felicidade? Imaginando que essas ilhas correspondem a 20% do seu tempo, o que fazer para que essa proporção chegue a 40, 60 ou 80%?

Se 80% do seu tempo contribui para apenas 20% da sua felicidade, você pode cortar as atividades que realiza nesse período e assim conseguir tempo para aquelas coisas que o deixam alegre?

Existem muitas atividades que dão poucos resultados ou felicidade pelo tempo que absorvem. Pesquisas mostram que, entre as pessoas que assistem à televisão, é pequeno o número daquelas que se dizem alegres depois de passarem horas diante da TV. Elas costumam se sentir ligeiramente deprimidas. Se ver televisão o deixa feliz, faça mais isso; caso contrário, pare.

Pense em práticas que lhe dão pouco resultado em termos de felicidade e analise se é possível eliminá-las da sua vida. O que você faz por obrigação? Se há pouco prazer no dever, que benefício você está obtendo? Caso esteja feliz, sua felicidade contagiará a vida de quem está ao seu redor. Despender tempo sendo infeliz é anti-social.

Pergunte a si mesmo:

Se as atividades que realizo na maior parte do tempo não me fazem feliz, **como posso** passar **menos tempo** me ocupando delas?

Quais são suas ilhas de realizações?

Quando ouvem falar pela primeira vez do Princípio 80/20, muitas pessoas entendem o conceito de modo errado.

– A idéia é boa na teoria, mas não tenho conseguido fazê-la funcionar na prática. Não consigo me limitar aos 20% principais do meu dia-a-dia... a vida real não permite manter esse ritmo por muito tempo – disse-me o diretor de uma instituição beneficente.

– Quais são os 20% principais para você? – perguntei.

– Correr de um lado para outro fazendo discursos, levantar fundos, participar de reuniões com pessoas importantes. Consigo ir a dois almoços e dois jantares por semana para fazer discursos, pois mais do que isso me deixa esgotado.

– É provável que esse *não* seja o seu tempo mais valioso – retruquei. – Pense nas breves ocasiões em que você estava relaxado e, mesmo assim, foi capaz de grandes realizações. Tem tido períodos assim ultimamente? Pode ser que uma idéia brilhante tenha lhe ocorrido nesses momentos.

– Ah, entendo o que você quer dizer. Houve uma tarde muito bonita em que eu estava tão exausto que fui para casa e me deitei numa espreguiçadeira no jardim. Fiquei ali de papo para o ar, mas depois tive a idéia para a nossa nova campanha. E é verdade, levantamos cinco vezes mais fundos com aquela campanha do que com a do ano anterior.

Ilhas de realizações são os breves períodos em que somos mais produtivos ou criativos: é quando obtemos mais com menos, fazendo a maior parte das coisas com pouco esforço aparente em um tempo reduzido. Quais são suas ilhas de realizações? Elas têm pontos em comum? Acontecem no mesmo momento do dia? As atividades são semelhantes, como vender, escrever ou tomar decisões? Ocorrem num lugar especial, com determinados colegas ou depois do mesmo evento ou estímulo? Em que estado de espírito você se encontra?

Costuma estar em grupo ou sozinho? Em meio à correria ou num instante de relaxamento? Quando está falando, ouvindo ou pensando?

Como você pode multiplicar o tempo em suas ilhas de realizações e reduzir o tempo que dedica a outras coisas?

Richard Adams era um burocrata de nível médio entediado e frustrado. Aos 50 anos, inventou uma história sobre coelhos para contar à filha, Juliet, antes de colocá-la para dormir. Essa criação acabou dando origem ao livro *Watership Down*, que vendeu mais de 7 milhões de exemplares e transformou a vida de Adams.

Você poderia passar mais tempo fazendo as coisas de que gosta, mesmo sem deixar seu trabalho diário? Será que poderia transformar um hobby ou uma ocupação alternativa em sua nova carreira? Descubra: dedique-se mais às atividades que você aprecia. Experimente novos projetos enquanto ainda está no emprego atual. Faça experiências com diferentes idéias até que uma delas se encaixe em seus interesses.

O pobre funcionário que devaneava

Era uma vez um garoto genioso. Expulso da escola por insubordinação, arranjou um estágio como escriturário, mas ganhava muito mal. O trabalho o entediava tanto que ele arranjava tempo para devanear e ler sobre ciência. Imaginava-se um cientista amador autodidata.

Esse garoto se chamava Albert Einstein. Com pouco mais de 20 anos, ele sacudiu o mundo científico com a teoria da relatividade, formulada enquanto trabalhava no escritório de patentes em Berna, onde se empregara quatro anos antes.

Einstein desfrutou pelo resto da vida do status de primeiro "cientista-celebridade".

Muitas idéias grandiosas surgem enquanto as pessoas estão executando tarefas corriqueiras. O tempo que, de outro modo, seria infrutífero e infeliz pode se tornar extremamente criativo e prazeroso.

Leia as Perguntas 80/20 listadas na página 54. Para respondê-las, pense em tudo o que *realmente o estimula* – aquilo que você ama fazer em qualquer área. Pode ser uma atividade no trabalho, um hobby ou um esporte, desde que corresponda aos melhores minutos dos seus dias. Depois, escolha uma dessas práticas e torne-a central em sua vida ou identifique o que todas elas têm em comum e dedique-se mais a isso e menos a todo o resto.

Por exemplo, minha vida deu uma guinada para melhor quando percebi que minha atividade predileta é despertar entusiasmo – fazer com que um indivíduo ou, com mais freqüência, um grupo seja arrebatado por um tópico ou causa de grande significado para mim. É por esse motivo que agora passo a maior parte do tempo escrevendo livros, realizando palestras e conversando com amigos sobre idéias estimulantes. Não há nenhuma categoria-padrão de trabalho para quem deseja provocar esse tipo de emoção. Mesmo assim, o reconhecimento de que essa é a atividade de que mais gosto e a que executo melhor me proporcionou uma vida mais plena e mais rica, embora eu faça menos. Agora uso uma regra simples quando se trata de decidir: se o que me pedem para fazer não envolve entusiasmo, eu não aceito a oferta.

Qual seria a atividade equivalente no seu caso?

Perguntas 80/20

- ❑ Eu poderia aproveitar mais a vida desenvolvendo um interesse ou uma paixão pessoal que me entusiasma profundamente? Essa atividade tem condições de me conduzir a uma nova carreira?

- ❑ Seria possível transformar a atividade que realizo na pequena parte mais estimulante do meu tempo e transformá-la numa nova opção profissional?

- ❑ Que perguntas eu poderia fazer a mim mesmo para despertar minha inspiração?

Dê adeus ao gerenciamento do tempo e adote a revolução do tempo

Não tente "gerenciar" seu tempo.

Procuramos gerenciar algo quando *não dispomos* dele em quantidade suficiente, como o dinheiro, por exemplo. No entanto, não é isso que ocorre com o tempo. Podemos ter escassez de idéias, autoconfiança e bom senso, mas não de tempo. O que nos falta são aqueles períodos maravilhosos em que o relógio pára, em que nos sentimos tremendamente felizes e criativos.

O gerenciamento do tempo nos diz para acelerar. Embora nos prometa mais tempo livre – momentos para relaxar –, não nos proporciona isso. A promessa é apenas uma cenoura para nos fazer apertar o passo. Como a mula, começamos a andar mais depressa, porém continuamos a alguns centímetros de distância da cenoura. No mundo mais rápido de hoje, as horas são mais extensas, o trabalho nos dá menos prazer e a pressão que sofremos é mais intensa. Assim como a mula, temos sido ludibriados. O gerenciamento do tempo nos faz trabalhar mais e relaxar menos.

A revolução do tempo diz o oposto. Temos uma quantidade excessiva de tempo, e não insuficiente. E é por isso que o desperdiçamos.

Para deflagrar sua revolução do tempo, desacelere. Pare de se preocupar. Faça menos coisas.

Jogue fora a lista do que fazer

e elabore

a lista do que **não fazer**.

Aja menos, pense mais. Reflita sobre o que é importante para você. Pare de fazer qualquer coisa que não tenha relevância e que não o deixe feliz. Saboreie a vida.

O mundo moderno acelerou o ritmo e perdeu o controle. A intenção da tecnologia era aumentar o tempo livre, porém tem feito o oposto. Como diz Theodore Zeldin:

> A tecnologia tem sido como uma rápida batida do coração, comprimindo trabalho, casa, viagens e entretenimento, espremendo cada vez mais coisas dentro de períodos demarcados. Ninguém esperava que ela criasse a sensação de que a vida corre depressa demais.[1]

Nade contra a maré da aceleração. Seja irreverente, até mesmo excêntrico. Faça uma limpeza no seu dia-a-dia. Livre-se do celular. Pare de ir a reuniões e eventos que o aborrecem. Consiga tempo para si mesmo e para as pessoas que são importantes para você.

Revolucionários do tempo

Como muitos, admiro Warren Buffett, o investidor que é uma das pessoas mais ricas do planeta. Não o tenho em alta conta por sua aguda percepção nos negócios nem por seu dinheiro, e sim pela fantástica abordagem não convencional que ele faz do tempo.

Warren Buffett dirige o maior e mais rico conglomerado empresarial dos Estados Unidos. Mas ele se apressa? É superocupado? De jeito nenhum. Diz que "enrola no trabalho". Uma vez lá, "espera se deitar de costas e pintar o teto da capela Sistina". Segundo ele, seu estilo "beira a letargia". Revela que toma muito poucas decisões, apenas as extremamente importantes. Como está relaxado e reflexivo, costuma fazer as escolhas certas.

Das pessoas que já conheci, quem leva o prêmio de maior revolucionário do tempo é Bill Bain, fundador e ex-presidente de uma bem-sucedida empresa de consultoria administrativa.

Fui sócio dessa firma por dois anos. Todos trabalhavam duro, com uma exceção – Bill Bain. Eu costumava encontrá-lo no elevador. Em impecáveis roupas de tênis, ele estava sempre chegando ou indo embora. Bill tomava todas as decisões cruciais e ganhou uma fortuna à custa de muito pouco tempo e esforço.

A consultoria administrativa é uma atividade árdua. Mesmo assim, "Jim", outro amigo e sócio, também ia contra a maré. Trabalhamos juntos pela primeira vez num escritório minúsculo e atravancado. Naquele ambiente barulhento, a atividade era frenética. Todos corriam loucamente, exceto Jim. Ele ficava sentado examinando a agenda com toda a calma e anotando seus objetivos. Nossa tarefa era executá-los. Jim era de uma eficiência maravilhosa.

"Chris" era outro consultor e revolucionário do tempo. Vendeu serviços que custaram milhões de dólares. Todos o adoravam. Estava sempre no escritório bem cedo de manhã e tarde da noite. Mesmo assim, sua reputação de trabalhar por muitas horas era imerecida. De modo geral, ele passava as tardes jogando golfe ou tênis, assistindo a corridas ou em longos almoços. Todos presumiam que estivesse com clientes. Quando certa vez reclamei com ele, Chris disse que estava seguindo o Estilo 80/20, obtendo mais resultados com um gasto muito menor de energia. Fui obrigado a concordar que era verdade.

Viva no presente

O momento presente é vital. Não viva no passado nem no futuro. Não se preocupe nem com um nem com outro. Obtenha mais com menos – limite-se ao presente e divirta-se aproveitando-o.

O tempo não se esgota. Também não se move da esquerda para a direita. Tão redondo quanto nos sugere o relógio, ele flui circularmente. O tempo aproveitado no passado ainda existe. As nossas conquistas e as boas ações que realizamos continuam contando. O presente é real e precioso, não importa se nosso futuro será longo ou breve. Podemos ter orgulho do que já passou e esperanças no que está por vir, mas só podemos viver no presente.

A visão de tempo no Estilo 80/20 nos deixa mais relaxados e mais "atentos". Ficamos mais relaxados porque o tempo passado não se exauriu. E nos sentimos mais atentos porque nos ligamos mais ao que acontece no momento presente e a outras pessoas.

Temos o precioso dom da vida hoje para ser usufruído do modo que quisermos. Todos os momentos possuem a natureza da eternidade, o carimbo da nossa individualidade. Quando o tempo pára é porque estamos totalmente concentrados no presente. Somos tudo e nada. O tempo é fugaz e eterno. Somos felizes, a vida tem significado. Somos parte do tempo e também estamos fora dele.

A revolução do tempo nos proporciona mais alegria em menos tempo. Quando o momento presente tem significado, o tempo é algo completo, contínuo e sem costuras, valioso e invisível. A correria termina, a ansiedade cede, a alegria aumenta. Podemos nos sentir intensamente felizes à parte do tempo. Quando estamos unidos à vida e ao universo, saímos dele. Alcançamos a forma mais elevada de obter mais com menos.

Melhorando os elementos-chave da sua vida

É hora de seguir para a parte dois. A partir desse ponto, você aplicará os critérios menos é mais *e* mais com menos *a cinco áreas cruciais*:

- ❏ A si mesmo (pessoal)
- ❏ Ao trabalho e ao sucesso
- ❏ Às finanças
- ❏ Aos relacionamentos
- ❏ À boa e simples vida

Você aprenderá a adquirir foco em cada uma dessas áreas, de modo que menos seja mais. Também saberá como melhorar sua vida – livrando-se do esforço e do estresse impostos pelas tarefas monótonas e árduas e passando a obter mais com menos.

A ênfase será nas ações práticas. Na parte três, mostrarei como concretizar tudo isso desenvolvendo um plano de ação pessoal que o capacitará a progredir no mundo moderno enquanto evita elegantemente suas cansativas perturbações.

PARTE DOIS

Como trabalhar *e* ter uma vida plena e feliz

CAPÍTULO 4

Concentre-se nos seus 20% principais

"Tenho mais energia agora do que quando era mais jovem porque sei exatamente o que quero fazer."

– George Balanchine

Aos 12 anos, Steven Spielberg decidiu ser diretor de cinema. Cinco anos depois, foi conhecer a Universal Studios. Em vez de realizar a visita-padrão, preferiu procurar uma filmagem verdadeira. O jovem de 17 anos abordou o diretor do departamento editorial da Universal para lhe falar sobre os filmes que iria fazer.

No dia seguinte, Spielberg vestiu um terno, colocou duas barras de chocolate e um sanduíche dentro da pasta do pai e com ela avançou audaciosamente pelo portão da Universal. Apossou-se de um trailer abandonado e escreveu na porta "Steven Spielberg – Diretor". Tornou-se um personagem fixo do lugar, misturando-se a diretores, produtores, roteiristas e editores, sugando idéias, observando como os verdadeiros diretores se comportavam.

Aos 20 anos, ele mostrou à Universal um pequeno filme que fizera e conseguiu um contrato de sete anos para dirigir um seriado de televisão. Posteriormente, produziu grandes sucessos, incluindo *ET*, um dos filmes que mais despertaram interesse em todas as épocas.

Spielberg tinha foco, ou concentração.

O foco é o segredo do poder, da felicidade e do sucesso pessoal. Estar concentrado corresponde a fazer menos. O foco permite que menos seja mais. Embora poucas pessoas tenham concentração, é fácil consegui-la. Ela expande a individualidade, a essência do ser humano.

Quem é você? Quem quer se tornar?

A personalidade e a singularidade humanas são os maiores mistérios da vida. Nós construímos a individualidade. Os animais não são capazes de fazer isso. Compartilhamos 98% dos nossos genes com chimpanzés, mas uma variação de 2% faz toda a diferença.

Não somos inteiramente sujeitos aos genes. Quando criamos histórias, idéias, música, ciência e cultura popular e também quando pensamos e nos comunicamos, fazemos coisas surpreendentes que podem até contrariar os interesses dos genes – como o uso de anticoncepcionais, por exemplo.

Nosso destino é nos tornarmos indivíduos – criando e realizando nosso potencial único. Cada um de nós se desenvolve de modo diferente e imprevisível.

A individualidade implica distinção. *Tornar-se diferente requer edição, subtração, foco.* Nós nos distinguimos enfocando nossas características exclusivas e autênticas.

De fato, não somos folhas em branco. Os genes determinam a aparência e têm grande peso em outros aspectos. À medida que crescemos, nossos pais e nossa família influenciam nosso comportamento, o modo como pensamos e a opinião que temos de nós mesmos. Professores, amigos, religiosos, supervisores e mentores nos moldam. As idéias e normas da sociedade, bem como os grupos a que nos ligamos, imprimem sua marca em nós.

Ainda assim, se descontarmos todas essas influências, sobrará algo: aquele elemento precioso e estranho chamado eu, nossa identidade e autonomia singulares. Por mais fortes que sejam as pressões, temos nossa própria personalidade. Ninguém no planeta é igual a outra pessoa. Em pequena ou grande escala, estamos destinados a influenciar o mundo, tornando-o diferente do que seria sem a nossa presença.

Nós nos transformamos em indivíduos por meio da *subtração*. Menos é mais.

Temos a maravilhosa oportunidade de deixar de lado pedacinhos de nós mesmos que não são autênticos, que não são "realmente nós" – as influências impostas pela formação, pelos pais e pelo ambiente. O eu genuíno é uma porção diminuta do nosso eu total – ainda assim, é o eu vital. Todos nós temos dons especiais, imaginação única e uma pequena parte de gênio: a centelha de vida que é toda nossa.

Quando nos concentramos no eu, deixamos de agir e pensar como a maior parte das pessoas. Isso é uma perda? Em quantidade, sim; mas não em qualidade. Em qualidade, menos é mais. Restringir nossos interesses nos permite aprofundá-los e intensificá-los. O ato de nos concentrarmos em nossos melhores atributos nos torna mais individualizados, mais *humanos*. Enfocamos nosso poder, nossa singularidade e nossa capacidade de aproveitar a vida profundamente e de modo exclusivo.

O desenvolvimento da individualidade é um processo consciente. Cabe a cada pessoa decidir quem ela é e quem ela não é, quem ela deseja ser e quem ela não quer se tornar. Nós nos diferenciamos como indivíduos por meio de escolhas e ações deliberadas, burilando e intensificando o que temos de único e melhor.

O foco e a individualidade tornam a vida mais fácil

Muitas pessoas perambulam pela vida sem grandes esperanças nem direção. Elas acreditam que esse é o caminho mais fácil. Mas será? Ou estarão enganando a si mesmas?

Desenvolver um eu autêntico, nossa parte vital e a melhor que temos, não é difícil nem incomum. Sendo fiéis ao nosso eu, abandonamos aqueles elementos em nós que não são genuínos nem naturais. Deixamos de representar. Paramos de fingir interesse e empolgação por coisas que nos aborrecem. Abrimos mão de nos preocupar com o que as outras pessoas pensam a nosso respeito. O que poderia ser mais fácil? Mais recompensador? Ou tornaria a vida mais excitante?

O mundo moderno nos deixa sobrecarregados. Tentamos acompanhar uma quantidade imensa de coisas. Tomamos milhões de pequenas decisões. Isso é demais. É muito mais fácil tomar algumas grandes decisões.

Como observa Amy Harris: "As freiras não precisam acompanhar a *Vogue*."

A verdade é que não conseguimos nos importar intensamente com gente e coisas demais. Não temos condições de nos dedicar a muitas pessoas e causas ao mesmo tempo.

A vida fica mais fácil após algumas grandes decisões:

- ❑ Com quem e com o que você mais se importa?
- ❑ Que tipo de pessoa você é e quer se tornar?
- ❑ Quais são suas maiores qualidades, emoções e capacidades?
- ❑ Quer se ligar a um único parceiro na vida? Quem?
- ❑ Pretende ter filhos?
- ❑ Deseja construir um nome para si mesmo? Por quê?
- ❑ Gostaria de trabalhar por conta própria? Em quê?
- ❑ Tem a intenção de criar algo que as pessoas notem e apreciem?
- ❑ Sonha em ter uma "casinha no campo"?
- ❑ Quais são as coisas a que você está destinando energia que não são essenciais à sua felicidade?

Todas essas decisões *excluem algo*. Elas simplificam a vida, impedem outras opções, eliminam o excesso de escolhas. Concentram energia. A que você destina energia? Seu poder pessoal está dirigido a algo?

Quando for responder a essas perguntas, não tenha medo de pedir ajuda a bons amigos ou mentores – use as opiniões deles para refletir. Quase todos nós precisamos do apoio de alguém antes de descobrir o que é melhor para nós mesmos.

Se você acredita que é capaz de fazer algo

ou se crê que não é,

você está certo.

O foco diminui a dúvida e faz disparar a autoconfiança e o poder. Como Shakespeare escreveu em *Medida por medida*:

> Nossas dúvidas são traidoras
> e nos fazem perder o benefício que, com freqüência,
> poderíamos ganhar, se não fosse pelo medo de tentar.

Todos nós temos duas qualidades extraordinárias e pouco usadas: nossa mente e nossas emoções subconscientes. O subconsciente é um computador *pessoal* sincero e amistoso. Está sempre ligado, não pára de funcionar.

Ele resolve dilemas, produz idéias brilhantes e nos proporciona paz e alegria. Assim como um computador real, fornece muito mais por muito menos custo e energia.

Quantas vezes estamos passeando com o cachorro, escovando os dentes, meditando ou deitados numa espreguiçadeira quando, de repente – heureca! A mente consciente não estava trabalhando na questão, mas o subconsciente, sim, e fornece a resposta de que precisamos.

O subconsciente é seletivo. Quando estamos profundamente envolvidos num assunto, ele faz esse registro. Não processa mensagens fracas nem dúbias. E funciona melhor quando estamos concentrados num único tema. Menos é mais.

O foco e a individualidade proporcionam felicidade

A felicidade não está no exterior, e sim dentro de nós. Nossa mente e nossas emoções, assim como o que pensamos de nós mesmos, nos deixam felizes ou infelizes. Somos felizes se temos uma boa dose de auto-estima e de respeito por nós mesmos.

A auto-estima pode ser *temporariamente* estimulada por drogas, bebida, elogios, poder, dinheiro ou ilusões que criamos. Contudo, o caminho confiável e duradouro para fortalecermos a auto-estima é cultivar o que temos de melhor. Uma auto-imagem positiva e acurada baseia-se na individualidade: um sentido autêntico do que somos e por que vivemos a vida do nosso modo. A felicidade duradoura não é conquistada por meio do consumo. Ela requer nossa participação ativa naquilo que valorizamos. Fazer as coisas da forma certa, aproveitá-las e nos orgulharmos do que realizamos são atitudes que nutrem a felicidade – e elas exigem desenvolvimento e individualidade.

Procurar conquistar o melhor *somente* nas áreas com as quais você tem mais afinidade é mais divertido do que entediante. Obter o melhor se torna relativamente fácil.

Há algo engraçado na vida –
se nos recusamos a aceitar qualquer coisa que não
seja **a melhor,**
com freqüência a conseguimos.

– *Somerset Maugham*

Emoções criativas nos dominam e nos deliciam. Elas vêm do cuidado, da atenção, da concentração, do sonho coerente, do apaixonado desejo de criar.

Dançar bem, amar bem, criar filhos bem, jogar futebol bem, cozinhar bem, fazer perguntas bem, dirigir bem um filme – ações inspiradas nos alegram. A individualidade e o foco nos deixam felizes.

O Estilo 80/20 e o aperfeiçoamento

Veja a seguir um processo de três passos para melhorar tremendamente qualquer área da sua vida:

- ❑ Passo 1: Enfoque seu Destino 80/20 – *onde você quer estar.*
- ❑ Passo 2: Encontre sua Rota 80/20 – *o caminho mais fácil para chegar ao destino.*
- ❑ Passo 3: Execute a Ação 80/20 – *os primeiros passos-chave.*

Passo 1: Enfoque seu Destino 80/20

O destino é o ponto aonde você quer chegar e onde quer estar. Ele significa:

- ❑ Suas metas, seus sonhos e objetivos na vida – o que almeja alcançar.
- ❑ O lugar em que deseja estar – os indivíduos com quem pretende se relacionar, o tipo de pessoa em que quer se transformar, as experiências que ambiciona ter, a qualidade da sua vida.
- ❑ O ponto ao qual mais lhe importa chegar – a vida adequada a você e que expressa sua individualidade.

Usando a lei do foco, em que menos é mais, pense cuidadosamente em que *destino pessoal* é o melhor para você. Para ser feliz, cada um de nós precisa de um Destino 80/20 único, que descarte a maioria das metas banais e defina um subconjunto próprio e relevante de objetivos de vida. Enfocar o Destino 80/20 significa resolver o quebra-cabeça do menos é mais para cada indivíduo. Quais são os poucos resultados ou características vitais que nos tornarão mais felizes? Quais são as poucas qualidades que devemos continuar focalizando e multiplicando sem nos preocuparmos com o resto?

O Destino 80/20 é uma parte muito pequena de todas as opções disponíveis, mas é essencial para nossa personalidade e nossos desejos mais profundos.

Quando nos concentramos de verdade no Destino 80/20, fazemos com que o menos seja mais. Se você é uma pessoa excepcionalmente seletiva e descobre as *poucas* coisas com as quais *se importa de modo profundo*, a vida adquire um propósito e um significado muito maiores do que tinha quando você estava envolvido com um grande número de questões.

Portanto, quem e o que você quer se tornar? Se você parar de representar e se desvencilhar de todas as armadilhas relacionadas a papéis sociais, como será seu autêntico eu? Quais são os seus 20% principais?

Um bom modo de responder a essa pergunta é definir as *motivações* dos seus *20%* mais importantes. Vamos tomar o exemplo do meu amigo Steve, que dirige um restaurante na Cidade do Cabo, na África do Sul.

Os 20% principais de Steve em termos de habilidades e interesses (mostrados na figura 5, página 74) têm a ver com entretenimento, espírito hospitaleiro, música, criação de negócios e capacidade de ensinar, compreender as pessoas e se comunicar. Em tese, essas características o tornam uma pessoa adequada para montar e administrar um restaurante sofisticado e moderno.

A figura 6, na página 75, representa os 20% principais de Steve em termos de atributos e emoções. Eles têm a ver com inspirar liderança, trabalhar em equipe, ser digno de confiança e ter entusiasmo pela vida.

Use as figuras 7 e 8 (páginas 76 e 77) para fazer um diagrama das motivações dos seus 20% principais. Insira pontinhos nos níveis que considerar mais apropriados para cada um dos seus atributos e depois trace as linhas.

– Quero consolidar meu nome no ramo dos restaurantes – diz Steve. – Não apenas na Cidade do Cabo e na África do Sul, mas também internacionalmente. Estou comprometido com Tracy e com nossos filhos para toda a vida. Quero que cresçam amados e que sejam felizes. Além de criar novos restaurantes, gosto de liderar e treinar pessoas para que realizem seu trabalho da melhor forma possível. Ainda estou aprendendo o que é necessário para tornar um restaurante fantástico e continuarei a aprender.

– Há mais alguma coisa de fato importante para você? – perguntei.

– Não – ele disse.

Steve conhece seu Destino 80/20.

E você? É capaz de limitar o que está tentando fazer e se tornar? Consegue se concentrar nos pontos realmente essenciais? Se a resposta for sim, você pode transformar menos em mais.

Preencha o quadro a seguir com seu Destino 80/20.

Meu Destino 80/20 é:

Verifique:

- ❑ O Destino 80/20 reflete o que você de fato deseja e valoriza?
- ❑ Ele espelha sua individualidade? É algo singular para você?
- ❑ É o que mais fortalece seus talentos e suas emoções?
- ❑ Ele deixa você focado? Evita que desperdice energia em uma série de outras coisas? Exclui muitos objetivos que hoje sugam grande parte do seu ânimo?
- ❑ É curto o suficiente para que se lembre dele o tempo todo?
- ❑ Ele o empolga? É seu sonho de vida?

Mais importante ainda:

- ❑ Buscá-lo provará que menos é mais para você?

Passo 2: Encontre sua Rota 80/20

Que rota é melhor e mais fácil para conduzi-lo ao seu Destino 80/20? Uma vez que sabe o que quer, como você pode obter um grande progresso em sua vida enquanto faz menos de modo geral?

- ❑ Há sempre muitas rotas possíveis para qualquer destino.
- ❑ A maioria das rotas será extremamente inferior a um pequeno número delas. As Rotas 80/20 que escolhemos são muitas vezes mais fáceis ou mais produtivas do que as outras.
- ❑ Existe sempre uma rota que fornece uma solução natural e relativamente fácil, um modo de obter muito mais do que queremos à custa de muito menos energia, tempo, dinheiro e preocupações. Tudo o que temos a fazer é encontrá-la.

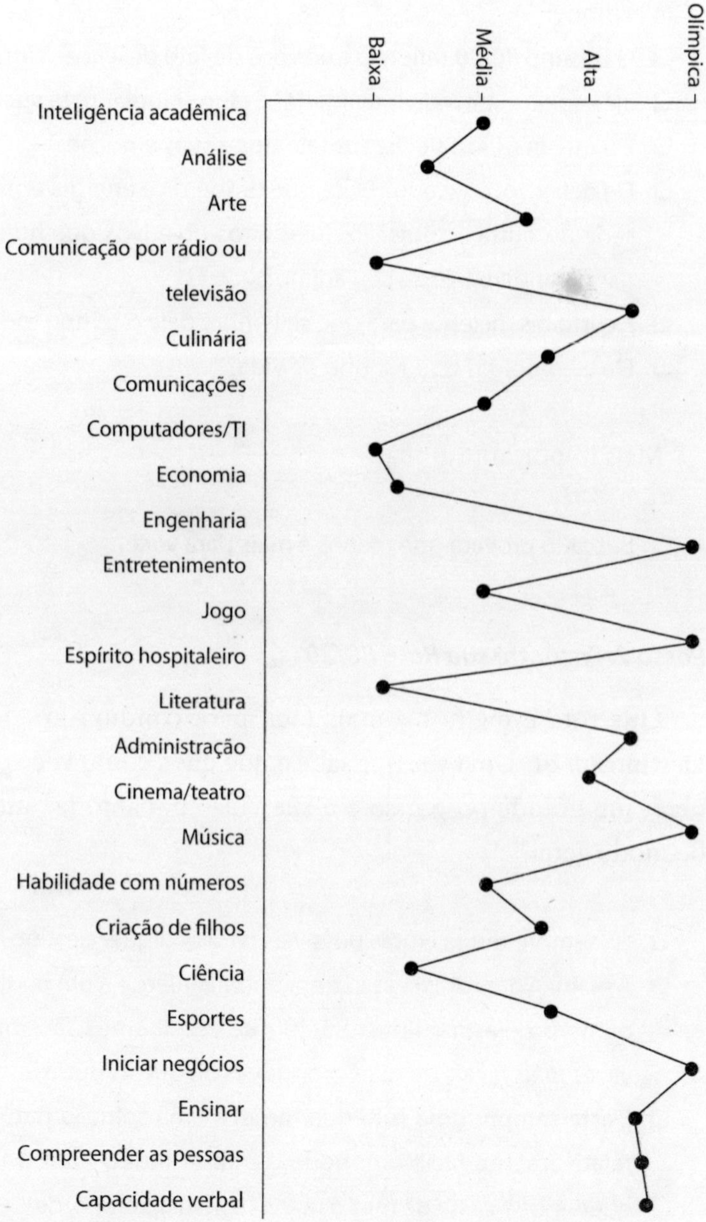

Figura 5 Habilidades e interesses de Steve – os 20% principais

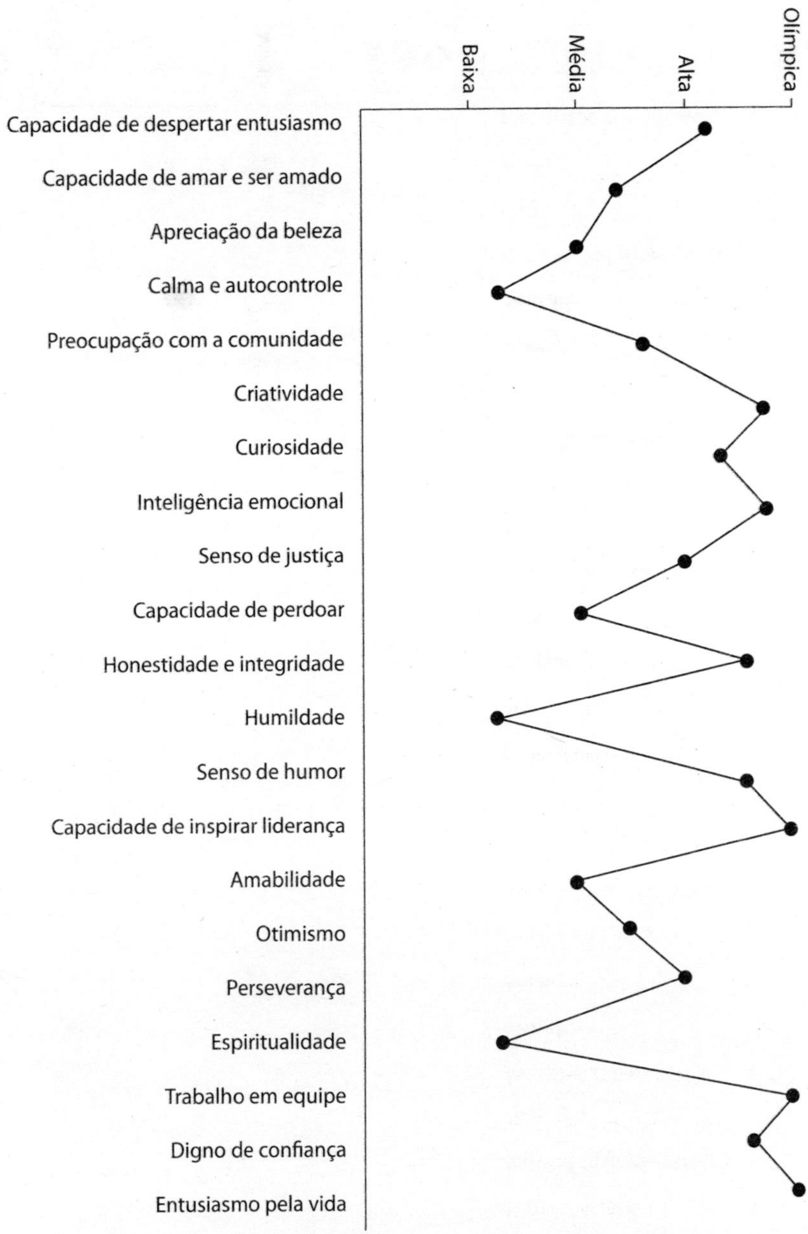

Figura 6 Atributos e emoções de Steve – os 20% principais

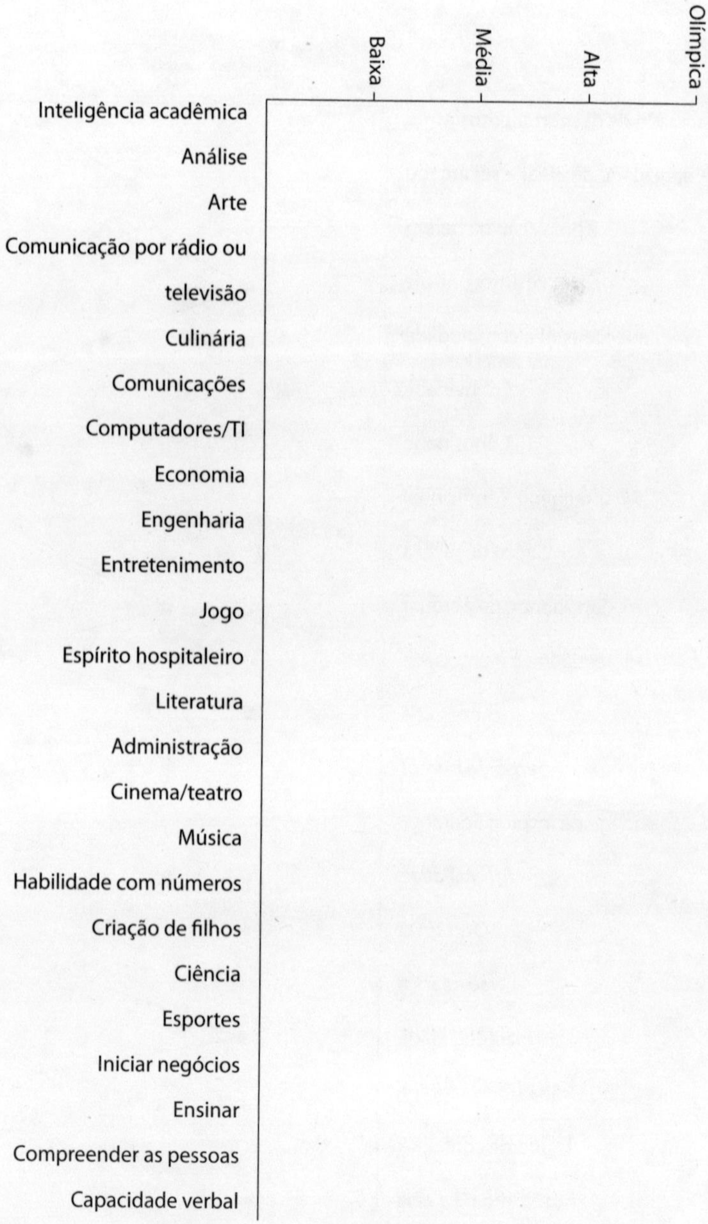

Figura 7 Suas habilidades e seus interesses – os 20% principais

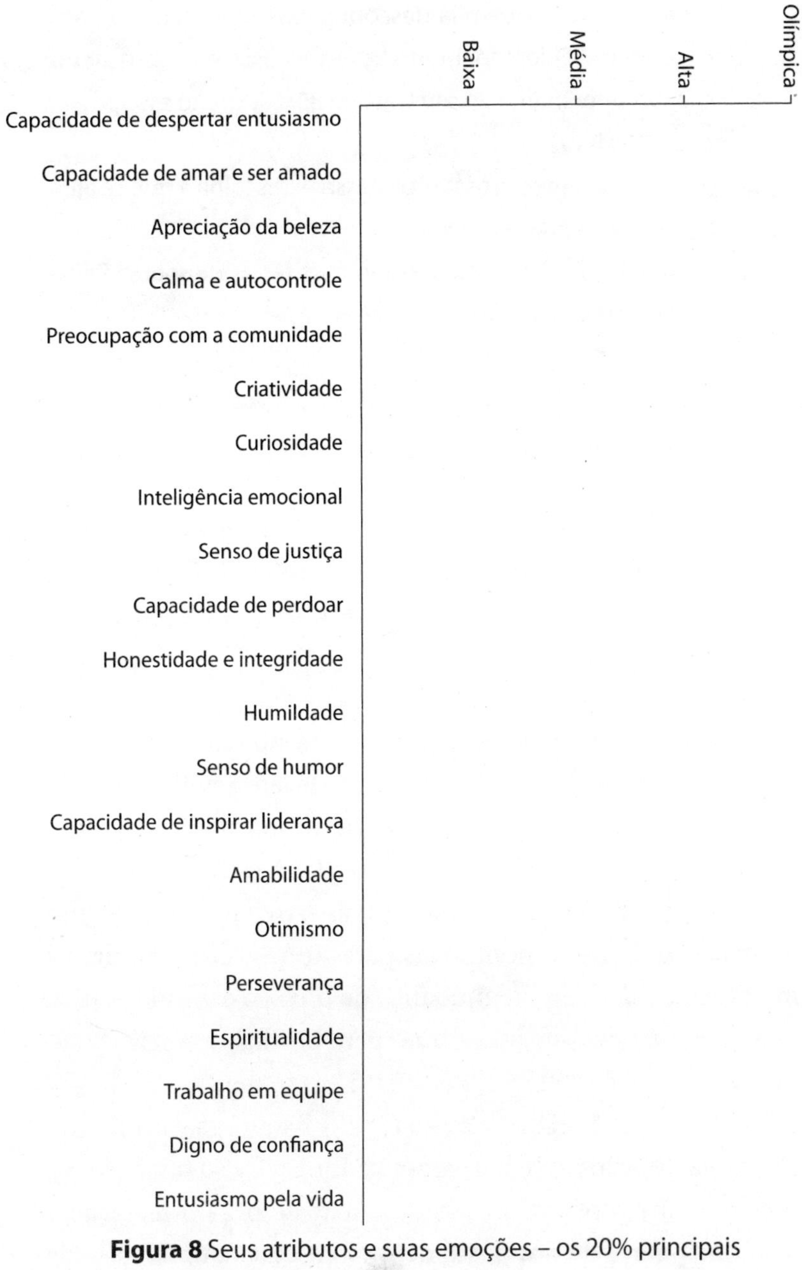

Figura 8 Seus atributos e suas emoções – os 20% principais

- ❑ Provavelmente alguém já descobriu essa rota ou outra parecida com ela. Quem foi muito bem-sucedido em alcançar um objetivo semelhante ao seu Destino 80/20? Como essa pessoa conseguiu isso?
- ❑ As rotas são também assuntos pessoais. Escolha a que se ajusta especialmente bem a você.
- ❑ A ajuda de aliados torna as rotas mais fáceis de seguir. Pense em pegar uma carona – com quem poderá contar?

Mas o teste definitivo para saber se você planejou uma Rota 80/20 é o seguinte:

- ❑ Essa rota oferece mais com menos? Ela lhe dá uma solução não apenas melhor, mas também mais fácil? Caso não seja melhor nem mais fácil, não proporcionará grande progresso à sua vida.

Um exemplo: imagine que você está no sul da Espanha, com pressa para ir de San Pedro, na costa, até Sevilha, que fica a três horas de carro dali em direção ao interior. Você é um motorista nervoso e geralmente se perde. A estrada para Sevilha começa com quase 50km de curvas estreitas através de um desfiladeiro entre as montanhas para Ronda. Em seguida, há muitas possibilidades de mudança de direção e a rota é difícil de seguir. Não há outro caminho para Sevilha que seja direto ou mais curto. Desanimado, você vai em frente.

Mas e se você seguir o Estilo 80/20? Exigirá mais com menos: uma solução mais fácil e rápida. Embora isso tome alguns preciosos minutos extras, estude o mapa e peça orientação a um funcionário de um posto de serviço para automóveis. Ele lhe dirá que, pelo valor de um pequeno pedágio, você pode pegar a auto-estrada direto para Málaga e depois outra auto-estrada para Sevilha. Quanto tempo levará? Segundo ele, duas horas, se você dirigir rápido. A sinalização é clara? Nem sua avó se perderia, ele garante. Você descobre que as informações são verdadeiras: a auto-estrada é cheia de placas e praticamente vazia – os espanhóis detestam pagar pedágio.

Tirando um pouquinho de tempo para pensar, você descobriu uma rota muito mais fácil que é também mais rápida. Mais com menos.

No entanto, esteja seguro dos seus objetivos antes de decidir que rota irá tomar. Nesse exemplo, a melhor opção seria outra se você tivesse tempo de sobra, gostasse de dirigir por estradas desafiadoras e priorizasse a beleza da paisagem. Nesse caso, escolheria a rota de montanhas em direção a Ronda: ela lhe ofereceria mais com menos – mais interesse e vistas esplêndidas com distância e custo menores.

O "destino" não é apenas Sevilha, mas também a diversão de chegar lá. Isso é típico de quem vive de forma plena. É importante saber o que você pretende e o que *não* pretende realizar. E tão relevante quanto ou talvez mais ainda é saber como quer e como não quer viver, que pessoa deseja ser e quem não deseja ser.

É claro que esse exemplo de viagem é trivial. Meu objetivo ao mencioná-lo é fornecer ilustrações simples de uma Rota 80/20 que possa ser lembrada com facilidade. A idéia não é afirmar que sempre há um plano melhor de viagem nem que roteiros desse tipo têm importância suficiente para que fiquemos nos preocupando com eles. Mas no caso dos Destinos-chave 80/20 vale a pena pensar seriamente com o propósito de planejar uma rota melhor e mais fácil, de modo que você consiga obter mais com menos. Esse é o caminho para descobrir a rota para os seus 20% principais. Como fazer isso?

Vamos voltar à história de Steve. Ele encontrou sua Rota 80/20?

– Já dei o pontapé inicial – conta. – Encontrei um investidor estrangeiro e abri esse restaurante em 2002. Vencemos a competição de melhor restaurante da Cidade do Cabo em 2003. Todos concordam que é um lugar bacana. Quero ter uma rede de estabelecimentos desse tipo na África do Sul e depois no exterior. O primeiro passo é estrear em Johannesburgo. Para fazer isso, preciso de um novo investidor e estou quase conseguindo. Depois, terei que provar que a idéia funcionará nessa cidade.

– Então não há nada mais importante na rota? – pergunto.

– Há uma coisa – responde Steve. – Preciso de um mentor dos Estados Unidos, da Europa ou da Austrália. Para aprimorar o que faço, necessito de uma pessoa que seja melhor do que eu para ajudar na minha expansão e me estimular. Ainda não a encontrei, mas esse é um objetivo-chave este ano.

Qual é a Rota 80/20 para os **seus 20% principais?**

Há sempre muitas rotas possíveis. A Rota 80/20 é a melhor, a mais rápida, a mais divertida, a menos preocupante e a que exige menos esforço. É também – e este é o problema – o caminho com *menos* probabilidade de estar sendo seguido por você agora ou imaginado como uma opção no momento.

Por quê? Porque o Estilo 80/20, como o Princípio 80/20, contraria a intuição. Ele oferece uma resposta *muito melhor* apenas porque a solução certa não é prontamente identificada por nós, uma vez que somos condicionados a incluir o quadro total, os "100%" da nossa experiência. Quando deixados com nossos próprios esquemas, planejamos um caminho que oferece mais com mais. O desafio é elaborar uma rota que proporcione mais com menos.

Assim, ao descobrir a rota 80/20 para os seus 20% principais, tente responder a estas perguntas:

- ❏ Que rota você seguiria normalmente para seu Destino 80/20? Essa não é a resposta, e sim o padrão pelo qual você julga uma possível Rota 80/20. A não ser que crie uma abordagem muito melhor do que sua resposta habitual, você ainda não tem uma Rota 80/20.
- ❏ Agora pergunte a si mesmo: como conseguir uma significativa melhora em sua resposta habitual por meio da desmedida exigência de mais com menos?
- ❏ Divida o progresso em duas partes. Em primeiro lugar, como poderia obter mais? Que caminho seria muito melhor para você? O que lhe agrada mais e o que o conduziria ao Destino 80/20 mais rapidamente? Faça um brainstorm considerando todas as rotas possíveis. Se você está sem idéias, peça ajuda a um amigo – é sempre mais fácil resolver o quebra-cabeça de outra pessoa.
- ❏ Em segundo lugar, pergunte-se como a rota poderia se tornar mais fácil para você. Formule muitas idéias.
- ❏ A seguir, junte-as até conseguir um caminho capaz de funcionar e, com certeza, proporcionar mais com menos. Ainda

que não esteja certo de sua eficiência, experimente-o. Se ele falhar, parta para sua segunda opção de rota – mas somente se ela também oferecer mais com menos.

Se estiver se sentindo incapaz de chegar a uma resposta, volte aos seus 20% principais. As coisas em que você é naturalmente melhor lhe darão pistas sobre como conseguir mais com menos.

Por exemplo, numa fase anterior da minha vida, meu Destino 80/20 foi me tornar um consultor administrativo bem-sucedido e bem pago. A primeira rota que tentei parecia muito promissora: consegui um emprego numa das melhores empresas dos Estados Unidos, a Boston Consulting Group (BCG). Infelizmente (ou felizmente, como percebi mais tarde), embora os clientes parecessem gostar de mim, isso não acontecia com os proprietários da empresa. Consegui pedir demissão antes de ser despedido.

A segunda rota que planejei foi me juntar à Bain & Company, uma empresa do grupo BCG. Por ter falhado na experiência anterior e com o ego tremendamente abalado, resolvi corrigir as coisas que haviam me prejudicado: estilo preguiçoso, espírito livre, irreverência e reputação de frivolidade. Decidi dar grande importância a trabalhar duro, bajulando meus supervisores e apresentando o lado sério e responsável da minha natureza. Eu não fracassaria de novo e provaria ao pessoal da BCG que todos estavam errados em seu julgamento a meu respeito.

Essa era a coisa certa a fazer? Sim e não. A Bain era uma boa escolha. Tinha uma ótima fórmula de fazer negócios, focada exclusivamente em atender os principais nomes em qualquer organização, e cresceu ainda mais rápido do que a BCG. O talento era tão escasso na base da empresa que logo fui promovido a sócio na categoria júnior. Controlei meus instintos de insubordinação projetando uma convincente imagem de funcionário leal à companhia e de formador de equipe.

Embora eu estivesse me dirigindo com êxito para o meu Destino 80/20, certo dia parei para pensar: estaria de fato seguindo a Rota 80/20?

Com toda a certeza, não. Ao colocar minha máscara da Bain, eu estava buscando mais com mais. Mais sucesso, mais trabalho interessante, mais responsabilidade, mais dinheiro. Ótimo. No entanto, essa barganha exigia mais da minha parte também: mais trabalho intenso, mais horas em atividade, mais atenção exclusiva ao emprego e à firma, mais politicagem, mais preocupação, mais concordância com as predileções dos supervisores e mais cansativas viagens internacionais. Para alguém que acreditava no critério mais com menos, isso estava longe do ideal.

E os meus 20% principais? Estaria eu lidando com eles da forma adequada? Infelizmente, não. Sou bom em ter idéias e insights, em descobrir talentos e em dizer aos clientes o que fazer para ganhar mais dinheiro. Sou ruim em trabalho duro contínuo (sou um corredor de curta distância, não de longa), em parecer compenetrado e sério, em fazer política interna e na confusa atividade de gerenciar pessoas. Seria a Bain o lugar certo para mim? Não. Eu não era tão puritano nem leal a esse ponto. Por isso, ter que me parecer tanto com a empresa estava exigindo um grande esforço da minha parte.

Meu primeiro pensamento foi que eu tinha grana suficiente para levar uma vida mais fácil e poderia abandonar de vez a consultoria administrativa. Isso corresponderia ao critério menos com menos: menos trabalho, portanto menos esforço e menos estresse. Por outro lado, também significaria menos dinheiro e menos trabalho interessante. Embora eu não tivesse alcançado meu Destino 80/20, ainda queria provar que podia chegar lá. Além disso, eu acreditava na idéia mais com menos.

Assim, como poderia planejar esse tipo de critério? O que eu queria? Meu desejo era ter menos angústia, menos concordância com predileções de outras pessoas, menos supressão da minha verdadeira natureza, menos viagens, menos trabalho intenso, menos deveres administrativos e menos supervisores (preferivelmente nenhum). Queria mais trabalho com clientes interessantes, mais independência, mais tempo com minha família e com meus amigos, mais liberdade para escolher meus colegas de trabalho e – vamos ser honestos – até mais dinheiro.

Declarar meus desejos foi como atendê-los. Quando especifiquei o que eu queria em maior e em menor quantidade, a Rota 80/20 logo se tornou clara. O único modo de adotar o critério mais com menos seria abrir minha própria empresa. Ainda assim, isso não era inteiramente verdadeiro. Pensando com mais calma no assunto, percebi que eu não queria a responsabilidade administrativa de ter a Koch & Co. nem achava que possuía as qualidades necessárias para criar uma organização de fato importante. A Rota 80/20 ideal para mim seria abrir uma firma com dois sócios cujos 20% principais complementassem os meus.

Acredito que a rota e o destino mais ambiciosos podem ser também os mais fáceis – mas somente se ambos estiverem em sintonia com nossos pontos fortes. Na Bain & Co., corrigi com sucesso minhas fraquezas. Na verdade, apenas disfarcei as rachaduras mais evidentes. Corrigir nossas limitações nos torna no máximo medíocres. Se burilarmos o que temos de melhor – nossos 20% principais –, insistirmos em adotar um comportamento autêntico que expresse genuinamente nosso eu e fizermos a exorbitante exigência de mais com menos, o céu é o limite.

Passo 3: Execute a Ação 80/20

O que é uma Ação 80/20 e como ela difere daquelas que costumamos executar? Em geral, há três diferenças:

- ❑ A Ação 80/20 é ditada por nosso Destino 80/20 e nossa Rota 80/20, ambos exclusivos.
- ❑ A Ação 80/20 focaliza as poucas atitudes que, comprovadamente, nos dão a maior parte da nossa felicidade e do nosso sentimento de realização pessoal: menos é mais.
- ❑ A Ação 80/20 envolve menos atividade e mais resultados no total – mais com menos.

Depois que escolhi meu Destino 80/20 (ser um consultor administrativo bem-sucedido) e minha rota (abrir uma firma com dois sócios), a Ação 80/20 ficou óbvia. Havia apenas duas iniciativas necessárias: encontrar as duas pessoas e montar o negócio. A partir desse momento, todas as outras ações que eu executava no dia-a-dia tornaram-se as muitas triviais, enquanto conseguir os parceiros e criar a empresa passaram a ser as poucas vitais. Embora não estivesse claro para mim como dar esses dois passos, eu só me importava com eles.

Mas um fato estranho aconteceu. Dois meses depois de ter tomado a decisão, eu ainda não executara a Ação 80/20. Não conseguia decidir que colegas abordar a respeito da abertura da empresa – um movimento errado poderia me deixar sem emprego. Então a sorte interferiu. Telefonei para Ian Fisher para falar sobre o projeto em que estávamos trabalhando. No final da ligação ele deixou escapar algo.

– Há alguma coisa esquisita acontecendo com Jim e Iain [dois outros sócios da categoria júnior]. Na verdade, não podemos falar sobre isso, mas eles viajaram de repente para Boston [onde se localiza a sede da Bain & Co.].

– O está acontecendo, Ian?

– Não posso lhe dizer, Richard, no entanto é bem estranho e muito ruim.

– Como não pode me contar? Somos colegas e amigos. Além disso, sou seu supervisor.

– Bill Bain me fez jurar que não contaria a ninguém.

– Eles se demitiram? – perguntei num palpite.

Silêncio. Depois de uma longa pausa, ele falou:

– Foi você quem disse isso, não eu.

O telefone de Jim Lawrence tocava sem resposta, enquanto o de Iain Evans só dava ocupado. Pulei na minha bicicleta e percorri o caminho ao longo do Tâmisa até à casa de Iain em Kew. Encontrei os dois entocados ali, em estado de choque depois do encontro traumático com Bill Bain. Eles iam abrir uma empresa? Sim. Eu poderia ser sócio deles? Talvez. Sim.

O acaso executara minha Ação 80/20 por mim. Ou não?

Há uma frase maravilhosa na fábula *O Alquimista*, de Paulo Coelho:

Quando você **quer** alguma coisa,
todo o universo conspira
para que você realize seu desejo.

Creio que é verdade: quando temos clareza sobre nosso Destino e nossa Rota 80/20, os eventos fortuitos dão aos nossos planos um forte empurrão na direção certa. Mas a frase-chave é *quando conhecemos nosso destino.*

Se eu não tivesse definido meu Destino e minha Rota 80/20, não teria pressionado Ian Fisher sobre suas observações enigmáticas. Provavelmente, também não teria adivinhado o que acontecera e não teria ido pedalando até à casa de Iain (era um longo percurso e meus planos para aquela manhã eram outros). Eu ainda precisava executar a ação, porém agir se torna mais fácil quando reduzimos o campo a uma obsessão que é a certa para nós.

Nem sempre a ação tem que ser planejada com antecedência. O desejo também não. Faz parte do Estilo 80/20 estar aberto aos eventos fortuitos, interpretá-los e explorá-los adequadamente.

Por fim, se você não executar as poucas Ações 80/20, sua vida não sofrerá uma transformação. Caso as empreenda, elas podem multiplicar a felicidade numa proporção muito maior do que o esforço que você realizou.

Valorize sua singularidade o máximo possível. Ninguém mais pode fazer isso. Enfoque o melhor de si mesmo para que o menos seja mais. Descubra a rota para transformar sua vida e obter mais resultados com menos preocupação e esforço. Depois aja e mantenha-se aberto à grande sorte que o universo tentará lhe conceder. Quando descobrir e selecionar as partes autênticas de si mesmo e as fizer trabalhar facilmente e com suavidade, você será uma pessoa única, de imenso valor... e muito feliz também.

CAPÍTULO 5

Tenha prazer com o trabalho e o sucesso

"É verdade que trabalho duro nunca matou ninguém. Mas, fico pensando, por que correr o risco?"

– Ronald Reagan

Você se lembra do filme *A rosa púrpura do Cairo*, de Woody Allen? A garçonete Cecília (Mia Farrow) está sentada na platéia assistindo a seu filme favorito, protagonizado por Tom Baxter (Jeff Daniels). De repente, Baxter, entediado por repetir sempre as mesmas falas, pula da tela para dentro do cinema. Ele arrebata Cecília, dando início a um fabuloso caso de amor.

Creio que o segredo do sucesso está nisto: a capacidade de passar da vida comum ao que ela poderia ser. Isto é, ter uma idéia, uma fantasia ou uma paixão e agir para concretizá-la. Deixar uma vida de obrigações, em que tudo segue por caminhos previsíveis traçados por outras pessoas, e abraçar uma existência criada por nossa própria imaginação. Esquecer o trabalho árduo e usar o maior de todos os atributos humanos, a habilidade para transitar entre o mundo como ele é e o mundo da nossa mente. Pensar, imaginar, criar, desfrutar.

Alguns animais podem trabalhar com afinco, no entanto apenas os seres humanos são capazes de *pensar* com afinco. Os animais são programados pela evolução. As pessoas também, mas nós conseguimos nos esquematizar e transformar o mundo que encontramos na realidade que preferimos. Todos os feitos e conquistas da civilização moderna se devem não ao trabalho pesado, à força dos músculos, à repetição ou a numerosas horas de empenho. Eles são resultado do insight, da inspiração, da criatividade, da originalidade e da capacidade empreendedora. São possíveis porque conseguimos passar do lugar onde estamos agora, no mundo real, para o mundo que construímos na mente, tornando-o concreto.

O que é verdadeiro para a humanidade como um todo vale também para os indivíduos. As pessoas altamente bem-sucedidas transformam o mundo não por meio de suor e lágrimas, e sim de idéias e paixão. Não é uma questão de trabalho duro nem de tempo de experiência, mas de uma visão diferente, de uma idéia original, algo que expresse a individualidade ou a criatividade. O sucesso vem de pensar e, depois, de agir em relação a esses pensamentos.

Assim, se você acredita que tem que trabalhar duro e fazer coisas desagradáveis para ter êxito, reflita. Você acha que Bill Gates, que abandonou a faculdade e fundou a Microsoft, chegou a ser o homem mais rico do mundo em determinada época suando a camisa? Pensa que o investidor Warren Buffett, que juntou uma das maiores fortunas do planeta, trabalha exaustivamente? E os magnatas da mídia Oprah Winfrey e Rupert Murdoch? O que têm de diferente? Dedicam-se a "ralar" ou a grandes novas idéias?

E Jesus Cristo? Albert Einstein? Charles Darwin? William Shakespeare? Cristóvão Colombo? Ronald Reagan? John F. Kennedy? Winston Churchill?

Essas personalidades não estavam acorrentadas às suas mesas. Todos eles se dedicavam ao que consideravam importante, um pequeno número de atividades essenciais sobre as quais exerciam liderança. Gastavam pouco ou nenhum tempo com a grande massa de coisas triviais que ocupava seus esforçados contemporâneos.

Uma pessoa pode chegar ao sucesso por dois caminhos: o difícil e o fácil.

Pelo caminho difícil, ela tem que estudar muito e por bastante tempo, trabalhar arduamente por 60 horas ou mais por semana durante décadas, preocupar-se com a impressão que causa e escalar a pirâmide de alguma organização. Sacrificar uma vida agradável no presente na esperança de ter uma existência bem mais prazerosa no futuro. A idéia é: experimente fazer coisas extraordinárias a um custo extraordinário para obter resultados extraordinários.

O Estilo 80/20 é uma opção mais fácil. Está aberto a todos, inclusive àqueles que se encontram num nível mais modesto em termos de instrução e perspectivas profissionais.

Dê um grande salto mental: dissocie esforço de recompensa. Focalize os resultados que deseja e descubra o meio mais fácil de alcançá-los com *menos esforço e sacrifício* e *mais prazer*. Concentre-se no que produz resultados extraordinários *sem* esforço extraordinário. Seja eficiente, mas mantendo-se tranqüilo. Primeiro, pense nos resultados. Depois, conquiste-os com um mínimo de energia.

- Vinte por cento de trabalho, esforço e recursos fornecem 80% dos resultados. O que nos dá o resultado de 80% por 20% de esforço – ou os 400% de resultado por 100% de esforço? Qual é o caminho *comum* para resultados *extraordinários*?
- Mais de 80% das pessoas lutam para conseguir 20% dos resultados. Menos de 20% das pessoas dominam 80% dos bens. Em sua área, quem são elas? O que fazem de diferente?
- Oitenta por cento da sua importância para outras pessoas tem origem em 20% ou menos do que você faz. Quais são essas poucas atividades essenciais?
- Oitenta por cento do seu sucesso decorre de 20% ou menos de suas habilidades e de seu conhecimento. Quais são as atividades realmente importantes que você executa muito melhor do que outras pessoas?
- Oitenta por cento das suas realizações ocorrem em 20% ou menos das *circunstâncias* em que você está. Você brilha em momentos específicos, de modos particulares e com certas pessoas. Quando? Onde? Por quê?
- Oitenta por cento do que você quer é proporcionado por 20% das táticas ou do comportamento que você adota. Que comportamento produz resultados muito maiores do que a energia despendida?
- Para qualquer coisa que você tente fazer, há um *modo de execução* nitidamente superior: uma rota que fornece 80% de resultados por 20% de esforço normal. Experimente até encontrar um meio que seja quatro vezes melhor do que o anterior.

Inteligente e preguiçoso

Disse o general Von Manstein, chefe militar alemão:

> "Há somente quatro tipos de oficiais.
>
> Primeiro, os burros e preguiçosos. Vamos deixá-los de lado, eles não prejudicam.
>
> Segundo, os inteligentes e muito trabalhadores. Eles dão excelentes oficiais e asseguram que cada detalhe seja considerado da maneira apropriada.
>
> Terceiro, há os burros e trabalhadores. Esses são uma ameaça e devem ser dispensados imediatamente. Criam tarefas irrelevantes para todos.
>
> Finalmente, há os inteligentes e preguiçosos. Esses são os adequados para os cargos mais altos."

Cultive a inteligência preguiçosa. Falta a você inteligência ou preguiça?

Se você não se considera muito inteligente – e para pensar isso é preciso ter bastante inteligência, afinal de contas –, desenvolva seu conhecimento e sua competência num campo restrito para que resultados extraordinários possam ser obtidos com um esforço moderado.

Caso você seja inteligente, porém não preguiçoso, cultive a preguiça. Fazer tudo apenas porque você consegue diminui a eficácia. Concentre-se nas atividades verdadeiramente importantes que proporcionam resultados surpreendentes. Execute somente as poucas coisas que geram os maiores benefícios.

É impressionante a freqüência com que as pessoas contestam esse conselho. Uma conversa típica sobre essa questão transcorre assim:

Amigo: – Você deve estar brincando quando diz que devemos ser mais preguiçosos.

Eu: – Estou falando sério. Não posso me concentrar com eficiência nos 20% se eu estiver tentando fazer todo o resto também. É muito melhor gastar duas vezes mais tempo nos 20% mágicos e bem menos do que isso no resto. Conclusão: 60% a mais de resultados com um gasto de energia 60% menor.

Amigo: – Não deveríamos destinar 100% de energia aos 20% mágicos e obter quatro vezes mais?

Eu: – Isso é ótimo na teoria e, eventualmente, na prática, mas primeiro desacelere. Deixe de lado as coisas que não são essenciais. Há um limite para o tempo que podemos dedicar às atividades mágicas sem comprometer a qualidade. Vamos *nos forçar* a fazer menos. Ganhar tempo para encontrar áreas mais importantes nas quais trabalhar e ações mais eficazes para realizar.

Amigo: – Mas você não acredita mesmo em ser preguiçoso, acredita?

Eu: – Há pessoas preguiçosas, como Ronald Reagan, que realizaram grandes conquistas limitando seu foco a um ou dois objetivos. E há supertrabalhadores, como o ex-presidente Carter, que tinha um grande número de metas e falhou de modo retumbante. Ainda assim, existem excelentes cientistas e artistas que amam seu trabalho, nutrindo uma verdadeira obsessão pela atividade que realizam. Eu não os aconselharia a se tornar preguiçosos. Na verdade, não estou defendendo a preguiça, e sim mais tempo para nos concentrarmos no que tem valor para nós.

Se você não gosta da palavra "preguiça", use "tranqüilidade". Faça aquilo que lhe agrada – com calma e sem preocupações. Quem trabalha muito costuma estar excessivamente preocupado para conseguir identificar o que é significativo. Um preguiçoso sempre procura fazer o mínimo possível, por isso focaliza apenas o essencial. A verdadeira produtividade está num indivíduo preguiçoso que tem novas idéias e se concentra em concretizá-las. Pensar pode ser algo perturbador, às vezes até assustador. Mergulhar nas trivialidades é menos ameaçador. Para quase todos nós, o único modo de criar algo novo e importante é desacelerar, realizar menos atividades, esfriar. Se você ama o que faz, não precisa ser preguiçoso. Caso esteja se ocupando de uma série de coisas que não aprecia, corte-as da sua vida e mantenha apenas o que for agradável e relevante.

O que os extremamente bem-sucedidos fazem de diferente?

Para ter êxito, devemos descobrir o que as "estrelas" têm de diferente. Identifico seis características comuns:

As estrelas são ambiciosas

Nenhuma surpresa nesse aspecto. Mas a ambição delas é natural, e não forçada. Porque...

As estrelas amam o que fazem

Ronald Reagan viveu a época mais prazerosa de sua vida como governador da Califórnia e, depois, como presidente dos

Estados Unidos por oito anos. Os autores famosos adoram escrever em lugares exóticos. Os que voam alto são vibrantes, cheios de vida, tomados de uma tranqüila sensação de prazer ou de uma exuberância contagiante.

O pesquisador Srully Blotnick estudou a vida de milionários que conquistaram o sucesso por si mesmos. Descobriu que eles amavam seu próprio trabalho. Essa paixão os levou ao topo.

O prazer, e não o esforço ou a instrução, é a chave para o êxito.

Pense nos milhões de pessoas que se desgastam na dura rotina de escolas e universidades. Ou nos que trabalham em sombrias torres satânicas para executivos grosseiros e empresas mesquinhas. Poderiam estar todos enganados?

Se um deles é você, alegre-se! Livre-se das correntes. Encontre algo que adore fazer.

Caso não integre nenhum desses grupos, alegre-se também! O trabalho exaustivo e enfadonho não é necessário. A maioria dos empreendedores bem-sucedidos não teve educação universitária – em geral, não recebeu nenhum tipo de instrução mais avançada. Mais da metade deles deixou a escola assim que pôde. Foi o entusiasmo que os conduziu ao sucesso.

E pode ser assim no seu caso também. Apesar das notas escolares desses vencedores serem baixas, isso não os impediu de triunfar. Eles descobriram uma atividade que adoravam e que lhes permitia criar algo que as pessoas desejavam. O mesmo pode acontecer com você. Existe alguma coisa que você ame fazer que possa se transformar em negócio ou profissão?

As estrelas são irregulares

As estrelas não são uniformes. As pessoas bem-sucedidas possuem muitos pontos fortes – e também um bom número de fraquezas. Mas suas limitações não têm importância. O que produz resultados extraordinários é o foco nas qualidades, em seu aperfeiçoamento até que elas alcancem padrões olímpicos.

O universo em que você trabalha é crucial: a profissão, a empresa, o departamento, o emprego.

Se 20% dos trabalhos e das profissões em potencial fornecem 80% dos benefícios em potencial, busque ocupações em que sua força desigual apareça. O equilíbrio demonstra mediocridade.

As estrelas sabem muito sobre uma área restrita

Já lhe disseram para adquirir uma experiência abrangente? Não faça isso. Dirija toda a sua energia a uma única área.

Torne-se um especialista num campo específico. Conheça 99% de algo. Procure entrar em contato com grandes nomes desse setor. Veja como eles trabalham, que tipo de vida levam. Imite-os.

As estrelas pensam e se comunicam com clareza

Elas se promovem e "vendem" seus pontos fortes de modo conciso.

Como você pode aprender isso? Atue como vendedor por um tempo.

Vender é difícil. Suscita rejeição. Mas também ensina a aceitá-la, a lidar bem com pessoas diferentes, a comunicar-se e a negociar de maneira eficaz.

Venda algo – automóveis, produtos eletrônicos, bijuterias, assinaturas de revistas, qualquer coisa – por alguns meses. Você aprenderá a promover suas próprias qualidades, o que é uma habilidade essencial. Terá uma vida muito mais fácil e mais bem-sucedida.

As estrelas desenvolvem sua própria fórmula de sucesso

Seu comediante favorito tem uma fórmula exclusiva de sucesso? Será sua capacidade de usar bem o tempo, seu tom de voz, o material que utiliza ou outra coisa diferenciada? Seja o que for, é inimitável e precioso.

As estrelas não chegam a essa fórmula da noite para o dia. E isso também vale para você. Analise muitas fórmulas. Adapte-as, combine-as ou invente a sua. Experimente. Descubra o que lhe dá *mais com menos*.

O Estilo 80/20 para ter prazer com o trabalho e o sucesso

Passo 1: Enfoque seu Destino 80/20

O que você deseja verdadeiramente do seu trabalho? O que ele significa para você? O que seria ideal? Quais são as poucas coisas com as quais você mais se importa?

Veja a seguir alguns aspectos que talvez sejam significativos em relação ao seu trabalho. No fim, são deixados três espaços para que você os preencha com os tópicos que quiser.

O QUE REALMENTE CONSIDERO IMPORTANTE NO TRABALHO?

- ❑ Um salário alto
- ❑ Ser uma atividade que aprecio
- ❑ Segurança
- ❑ Condições boas, confortáveis
- ❑ Ser estimulante
- ❑ Amigos no ambiente, colegas interessantes
- ❑ Fazer com que eu pense
- ❑ Variedade
- ❑ Um supervisor bacana
- ❑ Um horário adequado à minha vida e que não seja muito extenso
- ❑ Liberdade para fazer as coisas à minha maneira
- ❑ A reputação do empregador
- ❑ Prestígio proporcionado pelo meu próprio trabalho
- ❑ Excelentes benefícios indiretos
- ❑ Perspectivas de promoção
- ❑ Ser uma atividade importante que beneficie outros
- ❑ Bom treinamento e capacidade de aumentar minhas habilidades
- ❑ Um supervisor ou líder inspirador na empresa
- ❑ Um horário flexível, trabalhar quando eu quiser
- ❑ Um lugar onde eu possa encontrar o amor da minha vida
- ❑ Ser um trabalho que se ajuste perfeitamente às minhas habilidades
- ❑
- ❑
- ❑

Assinale todas as linhas importantes para você.

Agora, lembrando-se da necessidade do foco e do critério menos é mais, escolha um, dois ou três aspectos – o ideal seria selecionar apenas um – que mais importam para sua felicidade. Sua decisão indica seu Destino 80/20 no trabalho. Se conseguir ser mais específico – "Quero ser diretor de cinema", "Quero ser enfermeira", "Quero ser consultor administrativo" –, melhor ainda.

O que é realmente estranho é que muitas pessoas talentosas buscam empregos e carreiras que *não* as fazem felizes nem às suas famílias. Ou pelo menos não tão felizes quanto uma profissão ou trabalho diferente poderia fazer.

Imagino que 50% dos meus amigos não escolheram a carreira que lhes traria mais felicidade. Eles deram mais importância ao sucesso e ao dinheiro do que ao prazer, à realização pessoal e ao propósito.

A maioria deles ganha uma boa grana. Será que a felicidade proporcionada pelo dinheiro e pelo status supera aquela que teriam tido com um trabalho mais prazeroso? Duvido.

Há um fato intrigante nesse aspecto. Separando meus amigos entre os que escolheram a atividade de que gostam e os que trabalham pela compensação financeira e pelo sucesso, o primeiro grupo é o que, em média, ganha mais dinheiro.

O trabalho é mais divertido
do que a **diversão.**

Essa tese é do dramaturgo, ator e compositor inglês Noel Coward. Agora os fatos a comprovam.

O psicólogo Mihaly Csikszentmihalyi foi pioneiro na pesquisa do "fluxo", aqueles momentos de grande felicidade quando o tempo pára, quando nos vemos fazendo exatamente o que queremos, desejando que aquilo nunca termine, como as ilhas de felicidade de que falei antes.

Ele diz que no caso dos americanos o fluxo surge com mais freqüência durante o período de trabalho do que nas horas de lazer. Esses momentos singulares decorrem de um sentido de mestria e realização ativa. O trabalho que está em sintonia com nossos pontos fortes – que conduz a resultados claros e positivos – proporciona enorme satisfação.

O sucesso não é um processo desesperado de acúmulo de riqueza e de consumo conspícuo, ou ostentoso, de bens materiais para impressionar os outros. Esse é um jogo que ninguém consegue vencer, exceto talvez os mais ricos do mundo – e por um tempo limitado. O consumo conspícuo de um milionário perde sua dimensão diante do de um bilionário. Isso deflagra uma interminável cadeia de competição e inveja que destrói a benevolência, drena a energia e está muito distante das autênticas necessidades e dos desejos de qualquer pessoa.

No caso do sucesso, assim como em tudo na vida, menos é mais. A qualidade é mais valiosa do que a quantidade, dar é mais satisfatório do que consumir, a abundância de tempo é melhor do que o excesso de bens, a serenidade prevalece sobre o esforço, enquanto o ato de dar amor nos faz receber amor. Na realidade, o que todos nós queremos é tempo abundante, segurança, afeição, paz, tranqüilidade, consciência espiritual, autoconfiança e a noção de que estamos nos expressando e criando coisas de grande importância para as pessoas. O verdadeiro sucesso é sermos capazes de dispor do tempo da maneira que desejamos, usando nosso talento singular, sendo significativos para aqueles que valorizamos e sendo amados.

Portanto, seja muito claro quanto ao que o sucesso significa para você e busque isso. Deixe de lado a definição que o mundo dá ao sucesso, um conceito barato, de segunda mão, no qual todos afirmam acreditar, mas que ninguém vivencia.

Nem sempre é preciso mudar de emprego para se ter mais prazer no trabalho. Talvez baste mudar o modo como realizamos nossa atividade. Meu barbeiro e meu instrutor de tênis me falam sobre suas vidas e perguntam sobre a minha. Portanto, ganho terapia grátis com cada corte de cabelo e aula de tênis. Eles curtem mais seu trabalho agindo assim.

Minha mãe, que era enfermeira, teve que ficar internada num hospital por uma semana. Ela observou que hoje em dia as enfermeiras conversam muito mais com os pacientes e suas famílias, envolvendo-os no processo de recuperação do doente.

Há algo que você possa fazer para agregar significado e valor ao seu trabalho?

Será que a idéia de que podemos ter prazer com o trabalho é só papo furado?

Nem todos concordam que possam gostar do trabalho que fazem. Meu amigo Bruce se queixa da sua ocupação. Quando sugeri que procurasse um emprego que lhe desse prazer, ele me censurou.

– Na parte que me toca, o que você está dizendo é papo furado – retrucou. – Não gosto do meu trabalho, mas pelo menos ele é fixo e seguro, o que já é muito hoje em dia. Acho que você não entende como o mercado é duro, principalmente para quem não tem qualificação. Não ouviu falar das atividades temporárias? Os empregos fixos estão sendo substituídos por contratos e cargos temporários. Tudo o que desejo é manter meu emprego – é o máximo da minha ambição. A idéia de ter uma carreira que eu ame é um sonho impossível.

– Vamos ver essa questão de outro modo – eu disse. – Há 100 anos, o trabalho era sombrio e maçante. Ninguém perguntava a si mesmo se gostava do que fazia. Mas hoje milhões de pessoas curtem sua atividade. E, quanto mais a apreciam, mais bem-sucedidas são. Por que você não faz o mesmo? Descobrir um emprego assim pode ser difícil e demorado, porém sempre é possível. Todas as pessoas que conheço que de fato tentaram encontrar uma ocupação da qual gostassem acabaram conseguindo. Bruce, praticamente nada do que você faz afetará mais sua felicidade por toda a vida quanto realizar um trabalho que lhe dê prazer. Vale a pena se esforçar para valer e usar toda a sua imaginação nisso.

– Como você pode dizer que é sempre possível arranjar um bom trabalho quando o desemprego está em alta e as boas oportunidades são como ouro em pó? – rebateu ele.

– Bem, isso é verdade – respondi. – Mas, ainda que o nível de desemprego esteja alto, sempre há trabalho. Sempre há esperança. Por que você não faz uma lista de ocupações que lhe agradam? Dedique um bom tempo a isso. Elabore uma lista bem longa. Veja se consegue criar seu próprio trabalho. Conheço muitas pessoas que já passaram por um processo bastante comum. Primeiro, são demitidas ou deixam um emprego de que não gostam. Depois, criam seu próprio trabalho, algo que lhes agrada, seja convencendo alguém a contratá-las, seja realizando uma atividade autônoma. Na verdade, elas agem assim por desespero, pois não têm chances de conseguir um emprego normal. Em seguida, ou vão em frente naquele projeto ou ele não dá certo. De qualquer modo, porém, conseguem ter sucesso na segunda ou na terceira tentativa e quase sempre acabam gostando da nova atividade. Em geral, elas fazem uma pequena fortuna também. Não é melhor passar por esse tipo de experiência sem ser demitido e enquanto ainda se é jovem?

– Talvez – disse Bruce. – Mas há centenas de pessoas mais qualificadas do que eu atrás dos empregos que eu gostaria de ter.

– É verdade. Você vai competir com muita gente por uma ótima oportunidade, no entanto a motivação tem um papel fundamental nesse processo. Quando uma pessoa quer verdadeiramente um trabalho, isso transparece mais do que se imagina. Ainda que haja 20% de desemprego no setor, alguém que está 100% motivado vai conseguir aquele cargo ou outro semelhante, mais cedo ou mais tarde. Muitos amigos meus só permanecem no emprego que têm hoje porque se sentem seguros, porque ganham bem ou porque são pressionados a continuar lá pelos cônjuges, companheiros, parentes, colegas ou professores. Outros trocaram as antigas ocupações por atividades que apreciam, mas que pagam menos. Por isso, descobriram um modo de lidar com o dinheiro – reduzindo gastos, contando com duas ou mais pessoas na família que trabalham ou usando a poupança. De modo geral, eles e os familiares estão mais felizes assim. Ninguém se arrependeu. Depois de um tempo, muitos passaram até a ganhar mais também.

Passo 2: Encontre sua Rota 80/20

Procure o critério mais com menos: retornos extraordinários por sua energia. Em toda organização, área e profissão, algumas pessoas avançam muito mais rápido do que outras sem trabalhar mais. Por quê? Busque os 20% que fornecem os 80%.

- ❑ Menos de 20% dos candidatos a qualquer emprego são considerados seriamente – e são eles que obtêm 100% das vagas. O que colocará você entre os mágicos 20%? Será necessário ter experiência *anterior* para se candidatar ao trabalho que deseja?
- ❑ Oitenta por cento da diversão está limitada a 20% dos empregos. Se você quer algo prazeroso, procure um desses.
- ❑ Oitenta por cento dos empregos divertidos e que pagam bem estão concentrados em muito poucas profissões e organizações. Talvez seja necessário investir um pouco de esforço em sua busca, mas que ocupações que lhe agradam proporcionariam também um ótimo salário? Você deseja apaixonadamente uma dessas ótimas oportunidades? Prepare uma longa campanha.
- ❑ Oitenta por cento do crescimento empresarial é registrado em 20% das organizações. Para avançar, esforce-se para ser contratado pela empresa de crescimento mais rápido.
- ❑ Oitenta por cento das promoções ocorrem em 20% das organizações de crescimento rápido e de companhias que sempre optam por alguém de seus próprios quadros para ocupar as vagas. Muitas empresas dirigidas por famílias seguem essa política.

- Oitenta por cento das promoções partem de 20% dos supervisores – aqueles que também estão progredindo. A pessoa para quem você trabalha talvez tenha mais importância do que a atividade que você realiza. Coloque-se no vácuo de uma estrela em ascensão. Qual foi a última vez que seu supervisor foi promovido? Se você não consegue se lembrar, encontre outro para ter no lugar dele.
- Oitenta por cento dos resultados são gerados por 20% das atividades. Quais são as coisas que de fato produzem efeitos em seu trabalho? Dedique-se mais a elas. Faça-as melhor. Deixe todo o resto de lado.
- Oitenta por cento da experiência útil numa área ou profissão decorre do fato de se trabalhar com 20% ou menos dos profissionais e de se atuar em 20% ou menos das organizações. Você está no lugar onde aprenderá mais e de modo mais rápido com menos esforço? Conta com os supervisores e mentores certos?
- Vinte por cento ou talvez muito menos do que você faz cria 80% ou mais do seu valor. Você está no setor certo, na empresa certa, no cargo certo, no departamento certo? Onde seria capaz de gerar o máximo de resultado? Qual é o emprego ideal para você? Ele já existe? Como pode trabalhar para criá-lo?
- Oitenta por cento das promoções surgem do fato de você impressionar as pessoas certas. Quem são elas para o trabalho que lhe interessa? Como você pode lhes causar uma boa impressão?
- Oitenta por cento dos lucros têm origem em menos de 20% dos clientes. Quem são eles para você? Seria possível atender exclusivamente essas pessoas?

- ❑ Pouco menos de 20% das pessoas produzem 80% da riqueza e do bem-estar. Quem são elas em sua área? Como vocês podem juntar forças? Existe a possibilidade de se unirem e criarem uma unidade subsidiária ou uma nova empresa?
- ❑ Você pode "empregar" os melhores e os mais brilhantes como supervisor ou proprietário da empresa?
- ❑ Oitenta por cento do valor é criado dirigindo-se o foco a 20% das questões específicas de um mercado e inovando-se na mesma proporção. Oitenta por cento do valor decorre de 20% das mudanças. Que demandas estão se modificando? Quem está conduzindo o progresso e de que maneira? Você poderia copiar esse processo, torná-lo mais barato, levá-lo para um novo lugar ou aprofundá-lo?

Que rota levará você ao seu Destino 80/20 para o trabalho e o sucesso:

- ❑ Mais rápido do que você normalmente esperaria?
- ❑ Num nível muito mais alto do que está pretendendo agora?
- ❑ Sem atropelar sua personalidade, forçando-o a fazer coisas que não sejam autênticas ou que lhe desagradam ou levando-o a desempenhar um papel artificial?
- ❑ Usando as motivações mais características e excepcionais dos seus 20% principais?
- ❑ Prazerosamente?

Por definição, uma Rota 80/20 deve atender todas essas condições e estimulá-lo plenamente. Continue pensando até encontrar aquela que lhe permitirá ter prazer com o trabalho e o sucesso.

Passo 3: Execute a Ação 80/20

Elabore as três *Ações-chave* 80/20 para começar. Cada uma delas precisa levar você a um salto substancial ou gigante na Rota 80/20 em direção ao Destino 80/20.

Escreva-as no quadro a seguir.

Para cada Ação 80/20, suspenda três ou quatro atividades que esteja realizando. Aja menos e concentre-se mais.

Isso é difícil? Mudar é algo estranho. No entanto, você trocará muitas ações pouco importantes por outras que adora realizar. Essa mudança significa progresso.

O segredo de tentar qualquer nova abordagem é executar uma ação e descobrir que dá resultado. Isso o estimulará a dar outro passo eficaz, e assim por diante...

Ação 80/20 nº 1

Ação 80/20 nº 2

Ação 80/20 nº 3

Na Primeira Guerra Mundial, os marinheiros que escapavam de naufrágios erravam gelados e famintos em barcos salva-vidas por dias, às vezes por cerca de uma semana. Depois começavam a morrer. O fato misterioso era que uma grande parte dos marinheiros *mais jovens* morria primeiro.

Mas por quê? Os jovens estavam em plena forma e deviam resistir por mais tempo. Posteriormente, descobriu-se que muitos homens mais velhos haviam naufragado antes ou conheciam um colega que já tinha passado por esse tipo de situação e fora resgatado vivo. O simples fato de saber que haviam sido salvos numa experiência anterior reforçava sua vontade de viver. Eles tinham consciência de que existia uma rota para a sobrevivência. Não se atormentavam nem se preocupavam. Sabiam que se agarrar à vida funcionava.

Decidiu-se então comunicar aos integrantes de todas as tripulações que eles poderiam passar muitos dias presos a barcos salva-vidas; porém, ainda assim, provavelmente seriam resgatados. As taxas de sobrevivência aumentaram de modo impressionante.

Se você agir como um desses marinheiros que anteviam o resgate e puser em prática apenas uma ou duas Ações 80/20 sobre as quais tenha refletido bastante, descobrirá que elas funcionam. Portanto, aja agora e acredite que os critérios *menos é mais* e *mais com menos* podem de fato mudar sua vida.

Um herói do zero

Vou encerrar este capítulo com uma história sobre alguém cuja vida girou em torno dos critérios *menos é mais* e *mais com menos*.

Muito tempo atrás, um homem chamado Rowland Hill era professor na escola do pai. Depois foi trabalhar na South Australian Comission. Nada havia de notável nele. Não estava em boa situação financeira, não era conhecido nem tinha bons relacionamentos.

Mas ele teve uma idéia.

Naquela época, era extremamente caro receber uma carta – quanto maior a distância, mais alto o custo para o destinatário. A estranha idéia formulada por Rowland foi a seguinte: se o preço de enviar uma carta sofresse uma drástica redução, milhares de pessoas passariam a mandar esse tipo de correspondência. Ele teve também a idéia de criar um "selo", no valor de um penny, que seria pago pelo remetente. A novidade permitiria a entrega da carta sem que o carteiro precisasse recolher o dinheiro pertinente ao serviço.

Rowland convenceu o governo britânico a experimentar a idéia. Em 1840, nascia o sistema Penny Post, apresentando o selo *penny black*. Foi um enorme sucesso. Hill passou a ser o diretor do novo serviço postal e tornou-se rico e famoso.

Em 10 anos, 50 países adotaram a idéia. O novo canal de comunicação foi tão revolucionário quanto a internet é hoje em dia. O Penny Post incentivou pessoas comuns a aprender a ler e escrever, fazendo disparar a instrução popular.

Embora sem saber, Rowland seguiu o Estilo 80/20. Receitas postais maiores foram possíveis por meio da redução do preço. Uma simples idéia e uma Ação 80/20 proporcionaram um gigantesco benefício social e uma grande nova carreira.

Pergunte a si mesmo:

> Eu conseguiria ter uma idéia como a de Rowland Hill? Algo que beneficiasse muitas pessoas e talvez mudasse a minha vida também?

CAPÍTULO 6

Desvende o mistério do dinheiro

"A maior força do mundo? Os juros compostos."

– Albert Einstein

Numa aula sobre administração financeira, um consultor citou o livro *O homem mais rico da Babilônia*, de George Clason. "Ele contém uma mensagem que é verdadeira ainda hoje: para não ter preocupações financeiras futuras, basta poupar e investir 10% de sua renda para crescimento a longo prazo", afirmou.

O palestrante perguntou ao grupo – que pagara um bom dinheiro para aprender a acertar as próprias finanças – quem lera o livro mencionado. Dois terços da platéia ergueram a mão.

"Por favor, fiquem assim por um momento. Agora, todos os que seguiram a mensagem-chave do livro – pouparam e investiram 10% de sua renda – façam a gentileza de manter a mão levantada. Os demais podem abaixá-la", pediu o consultor.

Havia cerca de 100 pessoas com a mão erguida e todas a abaixaram. Elas haviam entendido e concordado com a mensagem, que era importante para sua vida. *No entanto, nenhuma delas executara a simples ação necessária.*

Mas por que isso aconteceu? Até certo ponto porque agir é sempre mais difícil do que pensar sobre a ação. Mas, de modo mais amplo, porque o livro de George Clason não apresentava um método fácil de poupar.

Vou fazer um acordo com você. Fornecerei uma saída fácil para os problemas financeiros desde que você prometa adotá-la, isto é, que implemente a solução mais simples. Se não estiver preparado para aceitar minha proposta, pule este capítulo porque não terá nenhum benefício com ele.

Ao longo da história da humanidade, três mistérios sobre o dinheiro têm nos intrigado:

- Por que pouca gente possui muito dinheiro e a maioria das pessoas quase não tem nada?
- Há um modo confiável de ganharmos todo o dinheiro de que precisamos?
- O dinheiro compra felicidade? Se não, de que adianta?

A boa notícia é que o mistério do dinheiro pode ser desvendado.

A surpreendente descoberta de Vilfredo

Há mais de 100 anos, um cabeludo economista italiano sofreu um verdadeiro choque. O professor Vilfredo Pareto, da Universidade de Lausanne, na Suíça, pesquisava a riqueza na Grã-Bretanha quando identificou um cenário curiosamente desequilibrado - a maior parte do dinheiro se concentrava na mão de poucas pessoas.

Depois ele verificou as estatísticas sobre a riqueza britânica nos séculos anteriores e encontrou um quadro quase idêntico em todas as análises. Comparou os recursos financeiros em diferentes lugares, como os Estados Unidos, a Itália, a França e a Suíça. Em todos eles, as estatísticas mostravam um resultado semelhante - uma lei do dinheiro operava em toda parte, em todos os tempos.

Pareto explicou muito mal essa lei. Somente em 1950 Joseph Juran rebatizou-a de Princípio 80/20: 20% das pessoas detinham 80% do dinheiro.

Na época de Pareto, os impostos eram muito baixos. No século XX, governos em todo o mundo taxaram as pessoas ricas para beneficiar as mais pobres. Ainda assim, o quadro de Pareto não mudou - os 20% mais ricos entre os americanos possuem 84% do dinheiro. Em todo o planeta, os 20% que estão no topo da pirâmide detêm 85% da riqueza. Esses números são surpreendentes. O dinheiro - e o Princípio 80/20 - são mais poderosos do que os governos.

Por que 20% detêm 85%?

O dinheiro é uma força, como o vento, as ondas e o clima. Ele não gosta de ser distribuído igualmente. Dinheiro chama dinheiro.

Por quê? Como podemos atraí-lo?

Ele obedece ao Princípio 80/20 por causa dos juros compostos, que segundo Einstein, são "a força mais poderosa do universo".

Comece com uma pequena quantia, poupe-a e invista-a. Os juros compostos farão o resto.

Em 1946, Anne Scheiber, que pouco sabia sobre dinheiro, investiu US$5 mil na bolsa de valores. Depois guardou as ações e parou de se preocupar. Em 1995, o conteúdo do seu modesto porquinho já havia se transformado magicamente em US$22 milhões – um aumento de 440.000%. Tudo isso por cortesia dos juros compostos.

Se nunca pouparmos sempre estaremos pobres, por mais dinheiro que ganhemos.

A maioria das pessoas tem muito pouco dinheiro porque não economiza. O americano típico de 50 anos ganhou muito, mas sua poupança é de apenas US$2.300.

Em geral, quem possui mais dinheiro guardou e investiu por muitos anos. Os juros compostos multiplicam a poupança de modo espantoso.

O poder dos juros compostos

- É verdade mesmo que eu posso ficar rico? - pergunta Aaron, meu assistente pessoal.

- É, se você fizer uma coisa muito simples - respondo.

- Ora, Richard, isso não pode ser verdade. - Entra Alison, uma jovem amiga de Aaron. Ela é cabeleireira e exibe um bizarro cabelo cor-de-rosa.

- Se fosse fácil todos nós seríamos milionários. Você sabe muito bem que há poucas pessoas com tudo isso - Alison faz um gesto apontando a piscina, os belos jardins e a quadra de tênis. - Depois vem o resto de nós, lutando para conseguir dinheiro.

Aaron, Alison e eu nos bronzeávamos ao sol de novembro, tomando bebidas geladas na minha casa na Espanha.

- Você tem razão - respondo. - Mesmo com ótimos empregos e rendas à altura, a maioria das pessoas não tem reservas significativas. Não digo que é fácil juntar dinheiro. Mas acredito que isso é possível para todo mundo.

- Então qual é o segredo? - ela pergunta.

- Aaron tem 23 anos, certo? Vamos imaginar que ele poupe US$200 por mês...

- Isso no dia em que as vacas voarem... - brinca Alison.

- Talvez. Vamos supor, porém, que Aaron economize e invista US$200 por mês e que esse valor cresça 10% ao ano por 42 anos, até que ele faça 65 anos. Quanto Aaron teria então? Com US$200 por mês, chegamos a US$2.400 por ano. E 2.400 X 42 são US$100 mil e uns trocados. Mas precisamos adicionar o crescimento desse montante. Qual é seu palpite? - pergunto a Aaron.

- Talvez o dobro disso. Duzentos mil dólares? Alison?

- Não sou boa com números - diz ela. - Mas não poderia ser tanto. Talvez US$150 mil?

- A resposta certa é mais de US$1,4 milhão - revelo. Eles ficam perplexos.

- Isso no caso de Aaron poder poupar 10%. E não acredito nessa hipótese - afirma Alison.

- Ótimo, tratarei disso depois - interrompo. - Alison, e você?

- Hum - diz ela. - Ninguém ganha menos do que eu. Você tem idéia de como os cabeleireiros ganham pouco? Impossível poupar.

- Qual é a sua idade? Quanto ganha?

- Tenho 18 anos. Ganho US$16 mil por ano. Um décimo corresponde a US$1.600. Se eu poupasse esse valor, o que não considero possível, quanto estaria no meu porquinho depois daquele tempo?

Apanhei uma calculadora e papel. O computador é mais rápido, mas eu quis demonstrar as quantias. Aaron vai buscar mais bebidas. Quando ele volta, estou pronto para começar os cálculos.

- O que você acha? Se Alison juntasse US$1.600 por ano até os 65 anos, quanto ela teria?

Aaron pega a calculadora. Multiplica US$1.600 por 47 anos, o que dá em torno de US$75 mil. Depois, multiplica esse valor por cinco, sua estimativa de juros compostos.

- Quase US$400 mil - arrisca ele.

- De modo nenhum - diz Alison. - Não pode ser mais do que US$250 mil.

- Tenho novidades para vocês - digo. Os clichês parecem ser esperados. - A resposta certa é US$1,5 milhão.

- Impossível - diz ela, rindo com desdém. - Ganho bem menos do que Aaron, a diferença entre nossas idades não é muito grande e você está dizendo que eu teria mais do que ele. A máquina de calcular deve estar com algum problema.

- Não, isso faz sentido - explico. - Os juros compostos são tão poderosos que apenas alguns anos extras fazem toda a diferença. É mais importante começar a poupar cedo do que ganhar rios de dinheiro.

– Tudo isso não passará de um monte de números até você nos dizer como guardaremos 10% do que ganhamos – diz Alison. – Não vejo como isso seria possível. Sempre gastamos mais do que recebemos.

– Falarei sobre isso depois – retruquei. – Em primeiro lugar, me digam: devemos nos importar com dinheiro?

O dinheiro pode comprar ***felicidade***?

Sim, se você é uma pessoa pobre.

"O dinheiro é melhor do que a pobreza, ainda que seja somente por razões financeiras", disse Woody Allen. Se estivermos morrendo de fome ou sem abrigo, o dinheiro pode nos proporcionar uma vida melhor.

No entanto, além de certo patamar – que é surpreendentemente baixo –, mais dinheiro não traz felicidade.

Um estudo que envolveu milhares de pessoas em 29 países comparou, em cada um deles, dois indicadores por seus níveis médios: o sentimento de satisfação com a vida e o poder de compra (veja a figura 9).[1] Os resultados revelaram que nas nações pobres o poder de compra e a satisfação com a vida estão nitidamente relacionados. Mas, no caso dos países que possuem cerca da metade da riqueza dos Estados Unidos, não há nenhuma associação entre dinheiro e felicidade.

Observar cada país individualmente confirma isso. Os americanos muito pobres são menos felizes; mas, no caso dos mais abastados, o dinheiro exerce pouquíssima influência

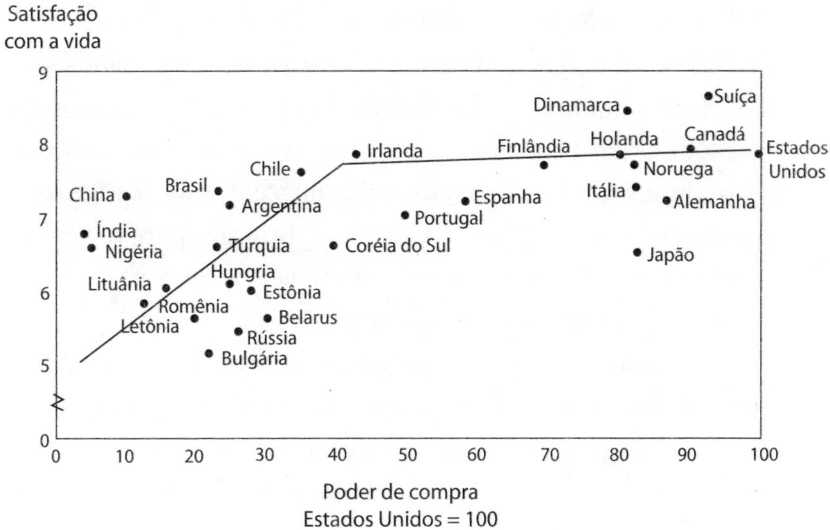

Figura 9 Satisfação com a vida e poder de compra em 29 países

nesse sentido. No que se refere aos 100 americanos mais ricos, a quantidade extra de felicidade é mínima.

Vamos considerar também um estudo com 22 vencedores do grande prêmio de uma loteria. Embora tenham demonstrado uma euforia inicial, esse estado de espírito não durou. Um ano depois, nenhum deles estava mais feliz do que antes.

Mais evidências: em três países ricos, o poder de compra real dobrou entre 1950 e 2000, mas os níveis de felicidade não subiram. À medida que os países aumentam sua riqueza, a depressão chega às alturas, fazendo vítimas cada vez mais jovens.

A constatação é óbvia. Quando estamos numa situação financeira razoável, nos sentimos mais felizes do que se estivéssemos muito pobres. No entanto, uma vez que estamos bem alimentados, vestidos e abrigados, enriquecer provavelmente não aumentará nossa felicidade.

No século XIX, John Stuart Mill deu uma excelente explicação para isso – *não desejamos ser ricos, só queremos ser mais ricos do que as outras pessoas.* Quando nosso padrão de vida sobe e o de todo mundo sobe também, não sentimos que melhoramos de vida. Às vezes, nos esquecemos de que nossos carros e nossas casas são melhores do que antes porque agora todos os nossos amigos dirigem automóveis semelhantes e têm residências tão agradáveis quanto as nossas.

Nesse momento, estou morando na África do Sul, um país onde me sinto rico. Na Europa e nos Estados Unidos, não. Essa sensação não tem nada a ver com meu padrão de vida, e sim com o das outras pessoas. Os padrões de vida são muito mais baixos na África do Sul, portanto me sinto rico.

Há também sofrimento e pressa envolvidos no propósito de enriquecer. Em 8 de abril de 1991, a reportagem da capa da revista *Time* enfatizava o preço exigido por carreiras de sucesso:

- Dos 500 profissionais, 61% disseram que "ganhar dinheiro hoje requer tanto esforço que é difícil encontrar tempo para aproveitar a vida".
- Trinta e oito por cento responderam que estavam diminuindo as horas de sono para ganhar mais dinheiro.
- Sessenta e nove por cento afirmaram que gostariam de "desacelerar e ter uma vida mais relaxada". Apenas 19% queriam uma "vida mais excitante e agitada".
- Cinqüenta e seis por cento desejavam ter mais tempo para hobbies e outros interesses pessoais, enquanto 89% disseram ser importante para eles passar mais tempo com a família, algo que o trabalho tornava difícil.

Como estamos nos saindo neste momento? Muitos de nós fugiram da corrida de ratos? Não. Ainda estamos correndo atrás de mais dinheiro por mais tempo. O americano médio trabalha agora 2 mil horas por ano. Isto é, duas semanas a mais do que em 1980. O casal de renda média com filhos trabalha hoje 3.918 horas no total – sete semanas a mais do que há 10 anos.

Ter mais dinheiro às vezes é uma armadilha, pois isso acaba desencadeando mais gastos, mais compromissos, mais preocupação, mais complexidade, mais tempo para administrar as finanças, mais desejos, mais horas no trabalho, menos escolhas sobre como usar o tempo, além de limitar a independência e esgotar a energia vital. Esse "estilo de vida" nos aprisiona num "estilo de trabalho".

De quantos carros e casas precisamos para compensar os infartos e a depressão?

Mais com menos: mais energia vital por menos dinheiro

Em *Dinheiro e vida*,[2] Joe Dominguez e Vicki Robin apresentam uma visão inovadora em relação ao dinheiro e à satisfação com a vida. Sua mensagem principal é: "O dinheiro é algo pelo qual trocamos nossa energia vital."

Para conseguirmos dinheiro, vendemos nosso tempo, que é de fato nossa "energia vital". O esforço pela sobrevivência consome a vida.

Subestimamos a quantidade de energia vital sugada pelo trabalho e superestimamos o que obtemos em troca. É um mau negócio, como frisam Dominguez e Robin:

Você está trabalhando por menos do que merece e levando para casa menos dinheiro do que precisa? Ou está ganhando muito mais do que necessita para se sentir realizado? Qual é o objetivo desse dinheiro extra? Se ele não serve a nenhum propósito, você gostaria de trabalhar menos e ter mais tempo para fazer o que considera importante? Caso ele atenda a um objetivo, isso é algo tão claro e ligado a seus valores que alegra suas horas de trabalho? Se não, o que deve ser mudado?

Quando você quebra a conexão entre trabalho e dinheiro, dá a si mesmo a oportunidade de descobrir qual é sua verdadeira atividade e talvez veja que ela não tem nenhuma relação com o que você está fazendo no momento para ganhar a vida.

O Estilo 80/20 proporciona mais energia vital com um dispêndio menor de esforço.

- ❑ Poupando e acumulando recursos financeiros, evitamos trocar energia vital por dinheiro. Quando temos investimentos suficientes, podemos parar de extinguir essa energia por meio de um trabalho não satisfatório. Escolhemos a atividade, assim como as horas em que vamos executá-la. Fazendo algo que seja importante para nós e que apreciamos, conseguimos multiplicar a energia vital.
- ❑ Podemos decidir usar a poupança para financiar nosso ideal de vida e de trabalho. Uma idéia é trabalhar seis meses por ano e depois viajar pelo mundo ou empreender um projeto com a família. Outra opção é trabalhar três dias por semana e curtir o resto. Ou aceitar uma redução de salário e trabalhar quando quisermos ou até por conta própria.

Em vez de deixarmos que o dinheiro mande em nossa vida, tornando o trabalho estressante e triste, podemos usá-lo para recuperar o controle. Um modo de fazer isso é dirigir energia para as áreas em que atuamos com mais criatividade, alegria e despreocupação.

Use o tempo e o dinheiro de forma *inteligente*. Faça menos e obtenha mais. A qualidade e o valor do tempo disparam depois que passamos a controlá-los.

O "sucesso" pode conduzir à derrota. Sacrificamos nossa independência e nosso tempo para ganhar dinheiro, acreditando que possuir mais nos tornará mais felizes. Isso não é verdade. Tudo o que conseguimos é desperdiçar a energia vital em níveis cada vez mais altos de riqueza.

O Estilo 80/20 desmantela esse esquema. Não importa quanto ganhamos, sempre poupamos, investimos e multiplicamos o dinheiro. Passamos a valorizar mais o prazer que o trabalho nos proporciona do que a própria carreira. Quando construímos uma poupança substancial, ela banca nossa independência e assim vivemos para as coisas que consideramos mais significativas.

O Estilo 80/20 de obter benefícios do dinheiro

Passo 1: Enfoque seu Destino 80/20

Anotar o destino que pretendemos alcançar faz maravilhas.

Dos alunos que se formaram na turma de 1953 em Yale, apenas 3% deles registraram seus objetivos financeiros por escrito – assim como fazemos com o Destino 80/20. Vinte anos depois, pesquisadores constataram que esses 3% eram mais ricos do que os demais.

Anote seu Destino 80/20 hoje. Ele é:

- ❑ Ficar livre de preocupações financeiras?
- ❑ Ter condições de bancar o trabalho que você quer e levar a vida que deseja?
- ❑ Possuir o suficiente para comprar uma casa?
- ❑ Não necessitar mais do salário para viver?
- ❑ Ser financeiramente independente numa determinada idade, vivendo da renda dos seus investimentos sem precisar trabalhar para ganhar dinheiro?
- ❑ Tornar-se milionário?
- ❑ Outro objetivo?

Seu Destino 80/20 é extremamente importante para você? Por quê?

O dinheiro é um meio, não um fim. Traz liberdade, não escravidão. Existe para fornecer segurança, não preocupações. Acumular dinheiro deve servir para proporcionar mais liberdade e felicidade, caso contrário se torna um fardo.

Seja específico. Quer se livrar das preocupações com dinheiro? Ótimo. Mas o que significa isso? O suficiente para viver sem renda por seis meses? Dois anos? Ter uma determinada quantia no banco?

Você gostaria muito de fazer outro tipo de trabalho mesmo que recebesse menos? Maravilha. Que atividade seria essa? Quanto ganharia com ela? Quais seriam suas despesas mensais? A boa notícia é que elas poderiam ser bem mais baixas – talvez suas roupas de trabalho passassem a ser mais simples e mais baratas, o custo do seu deslocamento diário se tornasse menor ou você se mudasse para uma área menos cara.

Helen e James são advogados e já estão se aproximando dos 30 anos. Conheceram-se no trabalho, apaixonaram-se e casaram-se. Trabalham para um grande escritório de advocacia, o Bullie Brake & Desmay, e estão progredindo na carreira. O único problema é que detestam a empresa e o que fazem lá.

O Destino 80/20 desejado pelo casal é sair da firma e formar uma família. Helen pretende se dedicar apenas ao lar. James quer trabalhar para uma entidade beneficente de consultoria jurídica, ainda que ganhe menos. Como eles conseguirão fazer isso?

Passo 2: Encontre sua Rota 80/20

Os juros compostos fazem com que o dinheiro acabe se concentrando em poucas mãos. Existe apenas uma Rota 80/20 infalível para termos recursos financeiros suficientes – *economizar e investir do modo mais fácil possível.*

Há muitas maneiras difíceis de poupar. Fazer o orçamento é uma delas. Esse método não dá certo porque as despesas inesperadas sempre nos tiram do curso.

Felizmente, há uma Rota 80/20 fácil para isso.

Aaron revela a Alison um modo de poupar com facilidade

"Gostei da idéia de ganhar dinheiro, Alison. Não que eu pretenda me tornar milionário, mas seria bom ter uma poupança para usar como entrada na compra de uma casa. Esse é meu 'Destino 80/20', como diz Richard. É para onde quero ir.

Só que depois fiquei pensando em como eu poderia poupar. Minha mãe nunca conseguiu. Nem eu. No ano passado Richard me aconselhou a guardar dinheiro. Tentei fazer isso, de verdade. Acontece que no fim do mês não sobrava nada. Como economizar? Então ele disse que havia uma solução para esse problema também.

Sua orientação foi que eu poupasse primeiro, isto é, que começasse pagando a mim mesmo. Isso significaria guardar 10% da minha renda antes de gastá-la. Uma ação automática - esse dinheiro seria investido no próprio dia do pagamento. Eu não poderia usá-lo, ele já teria desaparecido.

Contestei a idéia, dizendo que acabaria tendo o mesmo problema: se eu ficasse sem esse dinheiro no início do mês, o restante iria embora mais rápido. No fim do mês, eu estaria morrendo de fome. Mas Richard garantiu que não era a mesma coisa e que eu veria isso.

Ele tinha razão. Não senti falta daquele montante. Agora preciso esticar mais o dinheiro porque, já de saída, há menos no meu bolso. Foi difícil acreditar naquilo. Antes, eu estava convencido de que não teria condições de poupar. Mesmo assim, consegui por 12 meses e posso continuar para sempre. É verdade, Alison, você também é capaz de fazer isso, todo mundo é. Não vemos o dinheiro, é como se pagássemos mais impostos ou ganhássemos menos."

Helen e James decidiram ficar na Bullie Brake & Desmay, poupar e investir 10% do que ganham – de forma automática

– e juntar o suficiente para concretizar seu sonho mais tarde. Quanto tempo isso levará?

Juntos, eles ganham US$6.500 por mês. Descontados os impostos, US$4 mil. Gastam tudo. Não têm poupança.

Eles acreditam que, se passassem a morar numa área mais barata, poderiam viver com US$2.500 por mês, mesmo com a chegada do desejado bebê. A entidade beneficente só pode pagar a James um salário de US$2.600. Após o desconto dos impostos, sobram cerca de US$2 mil. Portanto, para completar o que falta, eles precisam, todo mês, de uma renda de US$500 (ou de US$6 mil por ano) gerada por um investimento.

O casal planeja comprar um apartamento por US$60 mil e alugá-lo. Após os gastos com reparos e impostos, eles ganharão US$6 mil por ano. Portanto, necessitam de uma poupança de US$60 mil para mudar sua vida.

Dez por cento do seu pagamento anual é US$7.800. Se investirem o dinheiro a 10%, juntarão US$66 mil em seis anos. Mesmo com 5%, num plano isento de impostos terão acumulado quase US$67 mil no sétimo ano.

A Rota 80/20 básica para ganhar o dinheiro de que você precisa

Poupe e invista 10% da sua renda antes de recebê-la.

Tome essa providência o mais cedo que puder na vida – o que significa *agora*. Sendo bastante objetivo, isso corresponde a 95% do conselho de que todas as pessoas precisam. Esse é o caminho mais fácil de dar fim às preocupações com dinheiro – não há nenhum outro tão poderoso.

Aprimorando a Rota 80/20 básica

Como chegar ao seu Destino 80/20 mais rapidamente:

- ❑ Nenhum investimento é tão bom quanto pagar a dívida do cartão de crédito.
- ❑ O segundo melhor investimento é "aposentar" todas as outras dívidas. Comece com a mais cara.
- ❑ Cancele os cartões de crédito. Seus gastos diminuirão inevitavelmente. Se precisa de um cartão, mantenha aquele que só lhe permite usar o que você tem no banco.
- ❑ Seja mais seletivo na hora de comprar. Adquira apenas os poucos itens que realmente o fazem feliz. Gaste mais nos 20% que lhe dão 80% de prazer e seja comedido com o resto.
- ❑ Pergunte a si mesmo: "Será que gosto de verdade desse produto que estou comprando? Ele está nos 20% de itens que me dão 80% de satisfação?" Se a resposta for não, descarte-o. Assim você terá mais dinheiro para adquirir os 20% principais e mais energia vital também – não precisará passar tanto tempo trabalhando para ganhar dinheiro.
- ❑ Procure os itens mais baratos que proporcionam o máximo de benefício. Um carro de dois anos pode ser 95% tão bom quanto um automóvel novo e representar apenas 60% do custo que você teria na compra de um zero-quilômetro. Há móveis de segunda mão que permitem uma economia de até 80%.
- ❑ Com o dinheiro poupado, adquira bens que prometam rendimentos ou valorização. Por exemplo, qualquer tipo de terra ou propriedade, obra de arte ou item de coleção. Escolha algo que o encante e que possa subir de preço.

- ❑ Separe a metade de qualquer aumento que você ganhar e invista automaticamente esse montante antes que ele chegue à sua conta bancária.
- ❑ Livre-se do lixo todo ano. Dê pequenas coisas de presente, venda as que têm valor e invista o dinheiro que receber por elas.
- ❑ Faça um diagrama com sua renda e suas despesas mensais e pendure-o na parede. Isso o estimulará a cortar gastos e aumentar a renda. Veja a figura 10 (página 130) como exemplo.
- ❑ Elabore um diagrama contendo os dados mensais de sua renda, despesas e renda gerada por investimentos. Inclua uma projeção de quando a renda proveniente dos investimentos alcançará o valor das despesas. Esse será o dia da sua independência financeira: você não precisará mais do trabalho para sobreviver. Veja a figura 11 (página 130) como exemplo.
- ❑ Corte um item nos gastos. Presenteie alguém com o dinheiro que economizar com isso. É provável que essa atitude não só lhe proporcione prazer como também aumente misteriosamente a sua renda.

Os juros compostos são diferentes de um investimento?

Os juros compostos são tremendamente poderosos, mas só funcionam depois que economizamos e fazemos algum tipo de investimento – em fundos, ações, propriedades ou em bens com grande possibilidade de valorização.

Que taxa de retorno de investimento é realista?

Os exemplos que menciono estimam um retorno de investimento anual de 5 a 10%. No entanto, fique atento a duas

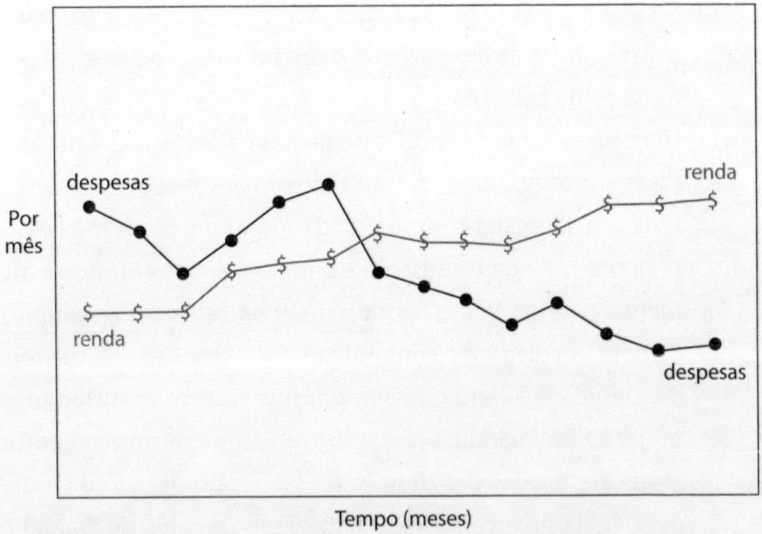

Figura 10 Diagrama da renda e das despesas mensais de Elisabete

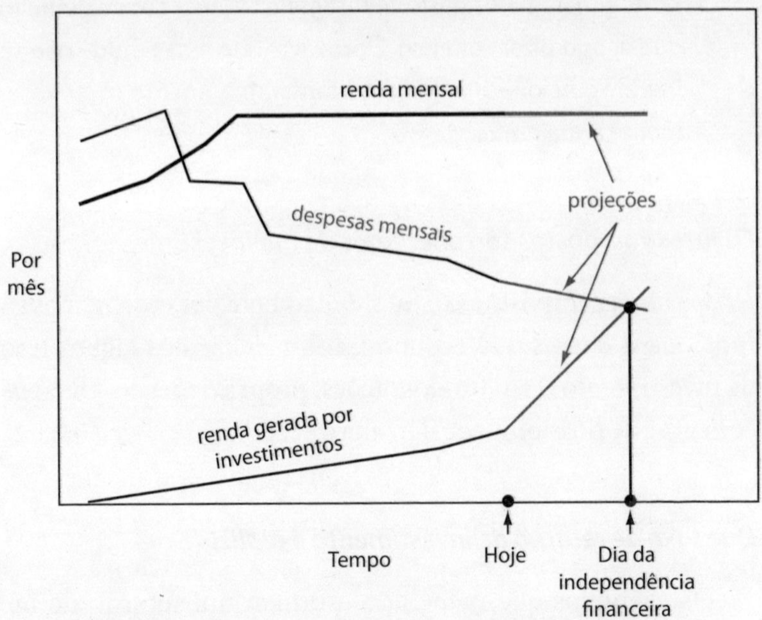

Figura 11 Diagrama da independência financeira de Maria

questões importantes. Em primeiro lugar, procure evitar os impostos. Em muitos países há contas especiais isentas de impostos para os pequenos poupadores e investidores. Portanto, fique atento e utilize essas opções.

Em segundo lugar, no caso de muitas regiões, a inflação e as taxas de juros estão no ponto mais baixo dos últimos 50 anos. Assim, pode ser que você precise comparar os juros em diversos tipos de investimentos e de instituições financeiras, até mesmo para conseguir um retorno de 5%.

Em que você deveria investir?

O objetivo básico é ganhar pelo menos 5% de retorno anual a longo prazo com um risco mínimo.

- Primeiro, salde todas as suas dívidas.
- Invista em poupança sem risco se ela render juros de 5% ou mais.
- Você pode investir em "títulos" - dívidas do governo ou de uma empresa - que "dêem" (paguem juros) mais de 5%.
- O investimento direto e a longo prazo num bem importante, como a casa própria, é interessante. A longo prazo, o preço da propriedade - na realidade, o preço do terreno - tende a se elevar. A quantidade de terra é fixa, enquanto a demanda cresce impulsionada pela exigência de casas maiores, segundas casas e um número de pessoas cada vez menor por residência. Em qualquer lugar em que a população e a riqueza estejam aumentando - como as cidades em expansão em diferentes pontos do globo e as partes mais bonitas e quentes

dos Estados Unidos e do sul da França –, a terra é uma boa aposta de investimento a longo prazo.

- Seja cauteloso com a bolsa de valores. Ela pode despencar em queda livre. Se você tem dinheiro suficiente para investir, considere um "fundo *hedge* neutro ao mercado", que não seja afetado pelas flutuações da bolsa em geral. Os fundos *hedge* podem ser de risco mais baixo e mais atraentes do que os fundos de ações, que dependem da subida da bolsa.
- Evite tudo – ações, propriedades ou a última tendência "quente" – que tenha sofrido uma grande valorização há pouco tempo. As bolhas estouram. Espere até que os preços se reduzam e se estabilizem. Jamais compre num mercado que está passando por uma alta ou por uma queda rápida. A curto prazo, atenha-se a investimentos seguros.
- Será que você deveria abrir seu próprio negócio? A maioria dos milionários enriquece começando um empreendimento de risco. Mas tenha cuidado. Somente um em 20 novos negócios é bem-sucedido. Provavelmente 99% dos resultados de sucesso correspondem a 1% dos novos negócios de risco. Será que você estará nesse 1%?
- Só invista num novo empreendimento de risco caso tenha uma reserva para se garantir. Não se aventure a perder tudo. Se isso for tirar seu sono, esqueça o negócio. De qualquer modo, tornar-se multimilionário provavelmente não o fará feliz. Portanto, seria uma aposta muito ruim.
- Ainda que você esteja louco para criar um negócio próprio, espere até ter dinheiro em caixa que possa perder. Ou dê preferência a um empreendimento de baixo risco que exija pouco capital – por exemplo, uma barraca no mercado das

redondezas, uma empresa de limpar carros ou um serviço de entrega usando seu próprio veículo.

Passo 3: Execute a Ação 80/20 agora

Você está numa encruzilhada.

Uma alternativa é ir em frente e destinar 10% do seu pagamento mensal a um tipo de investimento. Nesse caso, pode esperar por uma vida sem preocupações financeiras rumo ao Destino 80/20.

Outra opção é não fazer nada.

Vá em frente. Tome a iniciativa de poupar agora. Leva cinco minutos. O benefício será enorme – e pelo resto da vida. Faça amigos com dinheiro – impulsione extraordinariamente sua energia vital.

Imagine que você está livre das preocupações financeiras e que talvez tenha até acumulado uma pequena fortuna. Como isso vai deixá-lo mais feliz? Até que ponto sua recém-conquistada riqueza aprofunda e melhora suas amizades e seus relacionamentos, que, como estamos prestes a ver, aumentam tanto a alegria de viver? O dinheiro e as preocupações materiais ficam em segundo plano quando criamos e vivenciamos laços de amor e de afeto verdadeiros.

CAPÍTULO 7

Relacionamentos no Estilo 80/20

"No mundo moderno
Todos matam aquilo que amam.
O dinheiro e o trabalho contam mais do
Que os entes queridos, que vêm em terceiro lugar."

– Paródia moderna de Oscar Wilde

O projeto estava se desenvolvendo de modo brilhante. De absolutamente nada, o empreendedor criara um paraíso na Terra: uma cornucópia de jardins viçosos, riachos, palmeiras, árvores frutíferas de todos os tipos, pássaros exóticos, cães, gatos, cavalos, mulas e até mesmo um bando de macacos domesticados. Montanhas multicoloridas emolduravam os jardins. À distância, Adão podia vislumbrar o mar azul. Depois de assumir sua posição ali, ele perambulou pelo lugar saudando os animais, dando-lhes nomes, provando os frutos, alternando-se entre o calor do sol e a sombra das árvores. Pela primeira vez na vida, sentia-se seguro, relaxado e feliz. Ele conseguira.

Certa manhã, o empreendedor apareceu para um cafezinho.

– Gostou? – perguntou ele.

– Sim – respondeu Adão –, é maravilhoso. Você fez um trabalho fantástico. A casa e o quintal são perfeitos; os jardins, deslumbrantes. Mesmo assim, tenho a sensação de que está faltando algo. Só não consigo saber exatamente o que é.

– Ah – disse o empreendedor. – Eu estava pensando nesse assunto ontem à noite. Você tem razão, está faltando uma coisa. E eu posso solucionar isso.

– O que está pretendendo fazer? – perguntou Adão.

– Que tal alguém para amar? – perguntou o empreendedor.

Ou a versão século XXI

O Senhor Deus plantou um jardim no Éden e nele colocou o homem que acabara de criar. Um rio banhava o jardim. O Senhor Deus pôs o homem no jardim para que cuidasse dele. E o Senhor Deus disse: "Você vai dominar os peixes, os pássaros e todas as criaturas vivas. Será responsável por cuidar de todas elas, para seu benefício – poderá comê-las, contanto que elas continuem a crescer e a se multiplicar."

O Senhor Deus olhou para tudo o que fizera e viu que aquilo era bom. E o homem concordou.

No dia seguinte, Ele disse ao homem: "Não é bom que você fique sozinho. Farei uma mulher para que possa amá-la, ter uma família, desfrutar a vida na companhia dela e criar os filhos."

Mas o homem respondeu: "Decida-se, Senhor. Primeiro, me disse para ser responsável pelo jardim, pela criação dos animais, por repor os peixes do mar e os pássaros do ar, por nossa política geral para o meio ambiente, assim como por minhas próprias caçadas, pescarias e alimentação. Esse é um emprego de tempo integral. Não me entenda mal. Adoro meu trabalho, ele é muito gratificante. Além disso, o jardim é idílico. Mas como o senhor pode esperar que eu tenha tempo para todo esse negócio de amor, família e relacionamentos? As coisas estão se complicando demais. Vamos ficar só o senhor e eu – e todos os pássaros do ar, etc. –, está bem?"

E o Senhor Deus coçou a cabeça e ficou pensando em como o mundo estava mudado.

"Só há uma felicidade na vida: amar e ser amado", escreveu George Sand.

O psicólogo Carl Gustav Jung disse: "Precisamos de outras pessoas para sermos de fato nós mesmos." Damos sentido à vida por meio dos relacionamentos.

Mas o problema é que a vida moderna está tornando cada vez mais difícil encontrar, alimentar e sustentar o amor e os relacionamentos. Talvez sem perceber e, certamente, sem resistir, a maioria de nós está optando por uma quantidade maior de relações de baixa qualidade. Temos mais interações, porém elas significam menos. E os relacionamentos românticos estão cada vez mais efêmeros e em risco.

Todos nós sabemos que tanto as obrigações profissionais urgentes quanto a tecnologia moderna – computadores, celulares, etc. – estão engolindo boa parte do tempo que antes destinávamos à vida familiar. A tendência é mais pronunciada nos Estados Unidos. Há 20 anos, metade dos americanos casados afirmava que sua família fazia as refeições reunida. Agora, essa proporção é de apenas um terço. Mais mulheres estão no mercado de trabalho, há menos pessoas casadas e estas têm menos filhos, o número de mães solteiras vem aumentando, o desejo de ter uma família grande esfriou, os índices de divórcio subiram e o tempo que pais e filhos passam juntos reduziu-se radicalmente.

Essas tendências refletem pressões econômicas crescentes e a insidiosa prevalência das preocupações financeiras. Assim como todos os outros custos fixos, o número de famílias e de filhos está diminuindo.

Seguindo a tendência dos negócios, as famílias estão optando cada vez mais por "terceirizar" suas atividades. Outras pessoas passaram a se encarregar de tarefas que antes formavam o tecido das relações familiares, como cozinhar, cuidar das crianças, limpar a casa, organizar as festas de aniversário dos filhos, ocupar-se de familiares doentes e idosos, etc.

Agora, um número maior de famílias necessita que o marido e a mulher trabalhem, de modo que possam sustentar seu padrão de vida. Para quem está na pista rápida, a atividade profissional dos dois parceiros impõe exigências maiores e dificulta o envolvimento do casal nas tradicionais responsabilidades familiares.

Bob e Jane

Meus amigos Bob e Jane são pessoas divertidas e levam uma vida agitada, viajando pelo mundo a trabalho. Quando os conheci, tinham duas meninas encantadoras - Emma, 9 anos, e Anne, 11 anos -, um cachorro e duas casas grandes. Ambos ajudavam nas atividades do lar. A maioria dos amigos era comum aos dois. Quando precisou passar três meses no Brasil para desenvolver um projeto, Jane levou as filhas com ela. Bob as visitou por uma semana e, depois, em fins de semana ocasionais. Parecia estar dando certo, porém fiquei preocupado com o estresse imposto pelas diferentes demandas sobre o tempo deles. Isso poderia afastá-los?

Oito anos depois estavam divorciados. Continuavam amigos, mas magoados e pesarosos. Estão mais felizes separados? Duvido. Tinham um ótimo relacionamento, apoiavam um ao outro e às filhas. Poderia ter sido diferente?

Não tenho certeza. Talvez, se tivessem sofrido menos pressões de trabalho - nos anos 1960, por exemplo, ou se tivessem seguido o Estilo 80/20 hoje -, teriam ficado juntos. E pelo menos quatro pessoas seriam mais felizes.

Uma quantidade maior de relacionamentos aumenta a felicidade?

Os pesquisadores da Carnegie Mellon University estudaram por dois anos 169 pessoas escolhidas ao acaso, rastreando o uso que elas faziam da internet e o efeito dessa atividade na felicidade e nos relacionamentos. Patrocinados por empresas das áreas de hardware e software, os pesquisadores acreditavam que a maior variedade das relações estabelecidas por meio da rede diminuiria o isolamento social e aumentaria o bem-estar.

Tanto os patrocinadores quanto os pesquisadores ficaram surpresos com os resultados. Quanto mais relacionamentos as pessoas estabeleciam com a ajuda da internet e quanto mais tempo passavam on-line, mais solitárias e deprimidas elas tendiam a se tornar. Embora o e-mail e as salas de bate-papo aumentassem a quantidade de contatos, estes eram superficiais, além de consumirem uma parte significativa do tempo destinado a relações mais importantes com a família e os amigos. A interação intensa, face a face, com poucas pessoas se revelou essencial para a segurança e a felicidade. Menos é mais.

A tendência para relações *mais numerosas porém menos ricas* é mais expressiva no caso das pessoas bem-sucedidas. Ricas em dinheiro, mas pobres de tempo e acreditando para valer no mercado, elas "compram" os relacionamentos ali. Não quero dizer que contratem prostitutas, embora eu tenha observado um fato curioso: muitos dos meus conhecidos que enriquecem de modo repentino começam logo a enfrentar dificuldades conjugais que, em muitos casos, estão vinculadas a uma coleção de casos amorosos. (Com mais dinheiro, eles desejam mais relações, sem perceberem que mais é menos.)

Na realidade, quero dizer que as pessoas bem-sucedidas estabelecem relacionamentos com uma longa lista de prestadores de serviços: personal trainers, assistentes, terapeutas, massagistas, nutricionistas, astrólogos, aromaterapeutas, instrutores de tênis, estilistas, esteticistas, guias espirituais, manicures e Deus sabe mais o quê.

"Seja bom para si mesmo", dizem eles. A linguagem do mercado está funcionando. Entre 1990 e 2000, por exemplo, o número de personal trainers nos Estados Unidos dobrou, chegando a mais de 100 mil. Quando eu era consultor administrativo, minha empresa concentrava-se muito na relação pessoal com o presidente ou com o diretor executivo e prosperava na mesma proporção.

As pessoas de sucesso têm pouco tempo para a vida familiar. Então compram atenção em pedaços, convenientemente embalados para que se ajustem à agenda executiva. Um exército de colaboradores domésticos cuida da família, enquanto prestadores de serviços pessoais mimam aqueles que ganham o pão.

É tudo um terrível engano. Certamente todo serviço profissional fornece algo de valor, contudo mais é menos – essas relações comerciais substituem os relacionamentos básicos essenciais à felicidade.

Enquanto os prestadores de serviço ganham, todo o resto perde.

Por que *mais* riqueza não está se convertendo em *mais* felicidade? Por que a prosperidade corrói as relações pessoais e sociais? O problema não é a riqueza em si – um nível maior de conforto, de cuidados com a saúde e de conhecimento deveria aumentar a liberdade, a segurança e talvez também a generosidade. A questão é o modo como pensamos e agimos.

Estamos ficando completamente dominados por uma obsessão – *mais com mais*. Queremos mais dinheiro, mais bens, mais amigos, mais relacionamentos, mais sexo, mais atenção, mais conforto, mais casas, mais viagens, mais produtos eletrônicos e mais reconhecimento público. Estamos dispostos a pagar caro por tais desejos. Nós nos preocupamos mais e despendemos mais tempo, atenção e energia – e também mais de nossas almas e de nós mesmos – trabalhando para investir nessas coisas ou para adquiri-las.

Por outro lado, a economia funciona bem porque segue um princípio diferente – o de mais com menos. A vida econômica é uma busca constante por esse critério: bens e serviços melhores, mais rápidos e mais baratos. O menos se torna mais.

A felicidade humana – assim como o verdadeiro sucesso pessoal – é imutavelmente impulsionada pelas mesmas leis: *menos é mais* e *mais com menos*. Há uma inevitável troca de quantidade por qualidade. *Mais significa pior*. E é somente enfocando o que é importante para nós – as poucas pessoas, relações, atividades e causas com as quais de fato nos importamos – que nos tornamos centrados, autênticos, poderosos, amorosos e amados. Não há outro meio.

O caminho para usufruirmos o critério mais com menos nos relacionamentos e na vida é simples. Temos que:

- ❑ Criar mais com menos na vida profissional, ganhando mais dinheiro e prazer despendendo menos tempo, sem afetar nossa família e a vida pessoal.
- ❑ Ganhar mais com menos poupando, de modo que, mais cedo ou mais tarde, tenhamos uma renda gerada por investimentos suficiente para pagar o estilo de vida que desejamos e não sermos dependentes de um trabalho superexigente.
- ❑ Enfocar o critério menos é mais: aquilo que é importante para nossa felicidade – trabalho gratificante, sentido de objetivo pessoal e, acima de tudo, alguns poucos relacionamentos de alta qualidade. Isso requer tempo e compromisso emocional irrestritos, mas é amplamente compensador.

Qualidade versus quantidade

É quase certo que 80% da satisfação que temos com nossos relacionamentos seja gerada por 20% ou menos deles.

Boa notícia: **você pode concentrar a atenção em alguns desses relacionamentos-chave; não precisa se preocupar com as relações sem importância.**

Ação para aumentar a felicidade: **dedique mais tempo, energia, atenção, criatividade e imaginação aos poucos relacionamentos principais.**

Pergunte quanto do seu esforço é destinado às suas relações mais importantes, aquelas poucas que proporcionam o máximo da sua satisfação. Provavelmente, esses 20% de relacionamentos-chave recebem mais de 20% da energia que você dedica às relações como um todo. Quanto mais? Quarenta por cento, 60%? Se não chegar a 80%, procure atingir esse patamar, pois isso aumentará sua felicidade.

Boa notícia: **a satisfação pode se elevar extraordinariamente mesmo que você não aumente o total da "energia destinada às relações" – basta que concentre a energia nos relacionamentos-chave.**

Ação para aumentar a felicidade: **redirecione a energia para que pelo menos 80% da "energia destinada às relações" vá para seus poucos relacionamentos-chave.**

Só temos condições de nos dedicar intensamente a poucas pessoas.

Se não limitarmos o número de pessoas fundamentais em nossa vida, ninguém poderá ser essencial para nós.

A troca máxima de quantidade por qualidade se estabelece com aquele relacionamento que pode ser imprescindível à nossa felicidade.

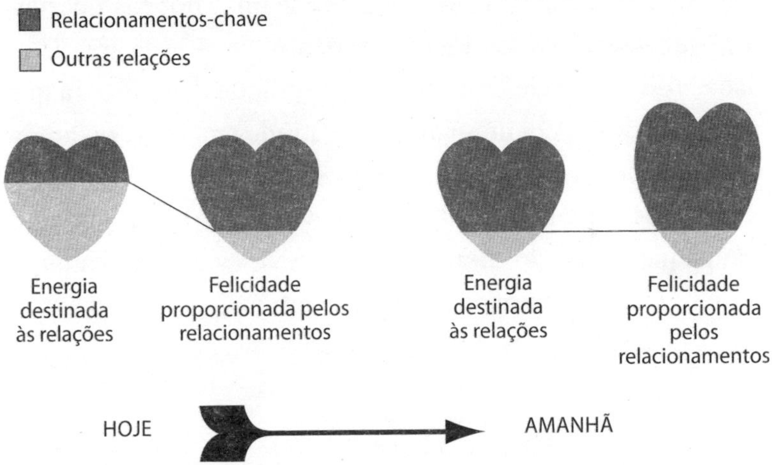

Figura 12 Deslocando energia para os relacionamentos-chave

Alguém para amar

Um estudo realizado pelos psicólogos Diener e Seligman mostrou que, com exceção de uma pessoa, os 10% de participantes da pesquisa que eram extremamente felizes estavam numa relação romântica. Outro fato revelador é que 40% dos americanos casados dizem que são "extremamente felizes", enquanto apenas 23% dos americanos solteiros afirmam isso. No caso de muita gente, encontrar o parceiro ideal é um ingresso para a felicidade.

No entanto, o tempo, o esforço e a inteligência que dedicamos à tarefa de descobrir um parceiro costumam ser muito limitados.

George Zipf, professor da Universidade de Harvard, mostrou que 70% dos casamentos que estudou na Filadélfia em 1931 ocorreram entre pessoas que viviam a poucos quarteirões de distância umas das outras, dentro de 30% da área estudada. Toda a cidade da Filadélfia era grande demais para que a maioria dos residentes lançasse sua rede em busca do amor. Quanto a procurar fora da cidade, esqueça!

Muitos romances continuam a nascer perto de casa, em um pequeno círculo de amigos e entre colegas de trabalho. E muita gente segue uma abordagem "automática" para o amor: aceita o primeiro parceiro que aparece.

Eles
se apaixonam
***pelo amor*.**

O amor à primeira vista não costuma dar certo. Comprometer-se por toda a vida com alguém baseando-se na atração sexual e no desempenho na cama é uma aposta pobre. Embora o sexo seja maravilhoso, o apelo diminuirá mais cedo ou mais tarde. Uma relação duradoura requer mais do que isso.

O verdadeiro amor – que inclui admiração e interesse recíprocos – pode mover montanhas e até mesmo fazer com que a relação mais improvável dê certo. No entanto, o amor romântico pode não durar. Para ser feliz por muito tempo, considere quatro qualidades mais abrangentes:

Conseguir manter um relacionamento próximo com as pessoas, depender delas e permitir que elas dependam de você

Há três tipos de pessoas:

- As *seguras*, para quem intimidade e dependência são fáceis.
- As que *evitam* compromisso e intimidade – quando é preciso cuidar do outro, elas escapolem.
- As *ansiosas*, que não têm certeza do amor e se derramam compulsivamente em cuidados o tempo todo – queira o parceiro recebê-los ou não.

Alguns minutos de reflexão bastam para revelar em que tipo você e seu parceiro potencial se encaixam.[1] Com dois indivíduos seguros, as perspectivas para uma relação bem-sucedida são muito boas. Se apenas um é seguro, as chances são menos favoráveis, mas ainda assim razoáveis. Caso nenhum dos dois seja seguro, a probabilidade de sucesso é pequena.

Se você não é seguro, precisará de um parceiro com essa característica para que tenha uma felicidade duradoura.

Ser otimista

Você e seu parceiro em potencial procuram identificar o lado positivo de uma situação ruim ou só vêem as adversidades? Quando as coisas dão errado, os otimistas buscam explicações temporárias ou específicas – "O gerente estava de mau humor" ou "Passei metade da noite em claro ontem". Os pessimistas imaginam problemas críticos, permanentes:

"Não sou bom no meu trabalho", "Essa dificuldade não vai desaparecer".

Escolha um parceiro otimista ou alguém que queira se tornar otimista – essa forma de encarar a vida pode ser aprendida.[2]

Ter a capacidade de evitar discussões ásperas e também críticas ao parceiro

O professor John Gottman usa um "laboratório do amor" para observar o comportamento dos casais. Em nove de cada dez casos, ele prevê corretamente o divórcio.

Os sinais de perigo são discussões acaloradas freqüentes, críticas ao parceiro em termos pessoais, demonstrações de desrespeito, comportamento frio ou distante e incapacidade de aceitar críticas.

Procure ter um período de experiência em que os dois fiquem mais próximos, porém sem o compromisso definitivo. Se você identificar os sinais apontados por Gottman, afaste-se.

Estar de acordo em relação a valores básicos

Escolha alguém que tenha os mesmos valores básicos sobre questões fundamentais, como honestidade, dinheiro, amabilidade ou qualquer outro aspecto crucial para você.

Só escolha o parceiro depois de refletir. Não entre em um relacionamento por impulso. Procure o máximo possível pela pessoa certa. Saiba quais são as poucas qualidades que você mais deseja em alguém. Faça um teste. Antes de se comprometer totalmente, veja se a relação de fato dá certo. Vá devagar. Há muitas fases e níveis de compromissos, não há necessidade de pressa. Um crescente sentimento de certeza deve surgir de modo natural.

Todo relacionamento possui apenas um pequeno número de exigências essenciais. Em geral, não investigamos suficientemente quais são elas, agimos ao acaso, desperdiçando a maior parte da energia em ações que não levam a nada.

***Boa notícia:* enfocar as poucas coisas que importam faz toda a diferença entre o sucesso e o fracasso nos relacionamentos.**

***Ação para aumentar a felicidade:* em todo relacionamento-chave, identifique as poucas ações que levam à maior felicidade. Concentre seus esforços nelas.**

Um amigo me disse certa vez:

> Somos todos diferentes. Coisas que não têm importância para mim geralmente são fundamentais para minha mulher – e a recíproca é verdadeira.
>
> No nosso casamento, as questões relevantes para ela são: eu não me atrasar para chegar em casa, ela poder confiar em mim, receber flores, ter meu apoio em seus projetos e ser surpreendida.
>
> Essas não são necessariamente as coisas que eu mais desejaria proporcionar à minha mulher. Poderia levá-la para

> jantar à luz de velas, comprar-lhe o carro que eu mesmo gostaria de ter, realizar viagens fantásticas com ela , além de uma série de outras coisas. Mas nada disso a impressionaria se eu não atendesse as poucas necessidades básicas que têm mais importância para ela.

Não dê ao seu parceiro aquilo que você gostaria de receber dele, e sim aquilo que *ele* quer ter.

Outro casal tem muitos problemas. Num momento de franqueza, a esposa confidenciou: "O que Peter não percebe é que, se me trouxesse algumas flores a cada uma ou duas semanas, eu faria qualquer coisa por ele." Como é triste que isso aconteça, afinal tão pouco esforço do tipo certo pode proporcionar uma recompensa tão grande.

Quantos casamentos são áridos, sem amor, porque as simples necessidades de um parceiro não são satisfeitas? Contudo, as fontes de amor poderiam ser facilmente desobstruídas para que fluíssem de novo.

Famílias felizes

Pouco antes da conquista da América do Sul, os índios peruanos avistaram as velas de navios espanhóis no horizonte. Como não sabiam o que era um navio, não tinham idéia de que poderia haver soldados nessas embarcações. Supondo que os navios eram algo estranho produzido pelo clima, eles ignoraram o sinal.

Nós também somos privados de conhecimento vital quando não sabemos pelo que procurar. Não temos apenas relacionamentos românticos. Entre as pessoas que são importantes em nossa vida estão, obviamente, nossos filhos. Os indivíduos que não tiveram uma infância feliz costumam repetir esse triste padrão como pais, pois não sabem como as famílias felizes se comportam.

> As famílias **felizes** são todas parecidas, mas toda família **infeliz** é infeliz à sua própria maneira.
>
> – Ana Karenina, *Tolstoi*

Há uma fórmula para famílias felizes que podemos copiar.

As famílias felizes praticam "espirais de amor"

A maioria dos pais ama os filhos, mas nas famílias felizes os pais demonstram seu amor o tempo todo.

Criar filhos é difícil. As exigências e a intensidade da vida familiar são tamanhas que as coisas só podem transcorrer de duas maneiras.

Uma delas é a espiral descendente. O bebê chora, as crianças quebram algo, um desastre acontece. Estressados, os pais reagem com crítica ou punição. As crianças gritam mais alto. Tudo piora cada vez mais.

A outra maneira é a espiral ascendente. As crianças são bonitinhas, brincalhonas, sorridentes. Gostam de aprender e adoram atenção. A mera presença da mãe faz com que se sintam seguras e felizes. Os pais ficam orgulhosos dos filhos e realizam pequenos atos de amor, o que deixa as crianças ainda mais animadas e risonhas. Diante desse resultado, os pais também se mostram mais amorosos, e assim por diante.

As duas espirais são evidentes em todos os lares, entretanto nas famílias felizes as espirais positivas superam as negativas. Com o tempo, as crianças pertencentes a essas famílias tornam-se mais confiantes e alegres. Geralmente, elas reforçam as espirais positivas.

Os pais estabelecem o clima já nas suas primeiras ações, quando a família está sendo formada e o primeiro bebê nasce. Criando e reforçando espirais positivas e abrandando as negativas, eles modelam, de forma lenta porém segura, uma família feliz.

O resultado desses primeiros atos de amor é enorme. Com relativamente pouco esforço, obtém-se um benefício extraordinário para as crianças e para toda a família.

As famílias felizes usam mais o feedback positivo do que o negativo

Numa escola, os pesquisadores perceberam que os professores elogiavam os bons trabalhos e censuravam o mau comportamento. Como experiência, os professores foram instruídos a enaltecer bons trabalhos e o bom comportamento e, ao mesmo tempo, ignorar o mau comportamento, que logo diminuiu consideravelmente.

Também em casa o elogio é mais eficaz do que a censura, criando espirais ascendentes. O Estilo 80/20 exalta o elogio – é fácil fazê-lo e o resultado que proporciona ao longo da vida é imenso. No caso do desenvolvimento das crianças, esse tipo de incentivo é como a água para as plantas: o menor deles pode desencadear um progresso espantoso. Uma criança capaz e bem-intencionada causará um tremendo impacto positivo sobre outras pessoas pela vida afora. Um pequeno elogio dirigido a uma criança hoje produzirá benefícios enormes e duradouros.

Tente contar o número de vezes que você e seu cônjuge dizem sim e não a seus filhos. Faça um esforço consciente para pronunciar mais sim e menos não. Realize uma nova contagem uma semana depois. Veja a diferença.

Nas famílias felizes os pais estão sempre disponíveis e são generosos com seu tempo

Um laço estreito entre pais e filhos cria segurança e felicidade por toda a vida.

As crianças não entendem o conceito de "tempo de qualidade" – elas querem atenção incessantemente. E estão certas. O Estilo 80/20 é dar *mais cuidados e amor para menos pessoas*, para aquelas que são mais importantes para nós. Todo tempo que passamos com nossos filhos é um tempo bem empregado. Ele gera um retorno fantástico para a criança, para os demais membros da família e para a sociedade.

Se você não pode estar disponível para seus filhos, fique longe deles ou dê um jeito de se tornar invisível. Sua ausência pode ser admitida, mas estar ocupado demais na presença deles é inaceitável.

Nas famílias felizes os pais são unidos e amorosos

As crianças sabem negociar com muita astúcia e habilidade. Adoram jogar o pai contra a mãe e vice-versa. Acham o conflito intrigante e, às vezes, pensam que isso lhes dá poder.

Suprima a todo custo esse tipo de jogo. Os pais devem mostrar que se amam, até mesmo quando estão aborrecidos. A compensação é que forçar manifestações de amor para superar a irritação deixará você mais feliz também.

As famílias felizes conseguem lidar com acontecimentos desagradáveis e crianças difíceis

Em geral, as famílias felizes não encontram mais facilidade na vida do que as famílias infelizes. Elas apenas usam um meio melhor de enfrentar os desafios.

Prepare-se para a possibilidade de ter uma criança difícil entre seus filhos. As crianças são seres livres e imprevisíveis e podem chocar você.

O filho de um casal de amigos meus era assim, mas os pais lidaram com ele muito bem. Perguntei-lhes que caminho haviam adotado.

"Começamos a fazer um tipo de terapia que treina especialmente a eficácia dos pais", contou meu amigo. "Os terapeutas dividem os problemas em três categorias. Em uma delas estão os nossos próprios problemas, causados por nós mesmos ou pelos demais membros da família. Em outra se encontram aqueles que são compartilhados, isto é, criados pela criança e a família juntos. E, por fim, há os problemas da própria criança que, basicamente, não têm relação com o grupo familiar. Cada uma dessas categorias exige uma solução diferente."

Segundo sua esposa, com esse treinamento o casal descobriu que a maior parte dos conflitos tinha origem nos problemas do filho deles, Charles. "Fomos orientados a mudar nossa reação sempre que ele apresentasse dificuldades. Passamos a lhe dar sugestões e a permitir que ele decidisse o que fazer. Isso reduziu significativamente os conflitos entre todos nós, deixando a família muito mais feliz. E Charles também, afinal paramos de ficar lhe dizendo como agir", concluiu.

As famílias felizes impõem disciplina, mas nunca suprimem o amor

A punição funciona, porém somente quando os limites do comportamento aceitável estão totalmente evidentes, de modo que a criança saiba por que está sendo castigada. A retirada de privilégios por um tempo é um caminho seguro e eficaz. É sempre importante deixar claro para a criança que a punição se deve à ação cometida e que não representa um julgamento de seu caráter. Não importa o que ela faça, nunca a prive de carinho, afeição e amor.

Sou muito amigo de um casal que aprendeu isso pelo caminho difícil. Eles têm dois garotos inteligentes e encantadores que estão no final da adolescência. No entanto, ao longo dos anos, vêm enfrentando grandes problemas com Daniel, o menino mais jovem.

Aos 11 anos, ele roubou dinheiro e durante algum tempo deixou que a culpa recaísse sobre um colega da escola. A mãe de Daniel, acreditando que seria necessário adotar uma atitude radical, afastou-se do filho – durante um mês recusou-se a falar com ele e a se envolver em qualquer aspecto de sua vida.

O resultado dessa ação foi desastroso. Quando a mãe percebeu o equívoco, tentou compensar o filho com muito amor, atenção e ação construtiva pelos cinco anos seguintes. Ainda assim, Daniel – e por isso, toda a família – continuou a ter problemas significativos, parcialmente causados pela privação do amor naquele momento tão difícil.

A punição não é o único – e nem sempre o melhor – modo de impor disciplina. Diante de gritos, amuos e exigências de uma criança, somos tentados a puni-la ou a ceder à sua vontade para obtermos paz. Em vez disso, podemos dizer a ela que a pirraça não vai funcionar, mas que um rosto sorridente poderia conseguir um bom resultado. Se quando seu filho tiver quatro anos você começar a recompensar mais sorrisos do que berros e "trombas", imagine o que ele tenderá a fazer?

As famílias felizes compartilham histórias lidas na cama e os "melhores momentos"

Os momentos mais preciosos e que nos permitem exercer uma grande influência sobre a criança são aqueles 10 a 20 minutos antes de ela adormecer. Ler uma história apropriada demonstra amor e contribui para que ela tenha muito com o que sonhar.

Os filhos de um dos nossos amigos adoram ouvir suas histórias antes de dormir porque o pai inventa tramas que os incluem como personagens principais. Você pode criar histórias com antecedência ou pedir idéias a amigos imaginativos.

Outra grande idéia é perguntar aos seus filhos do que foi que eles mais gostaram naquele dia. Se eles se lembrarem de todas as coisas boas, dormirão num estado de espírito tranqüilo e satisfeito. Alguns psicólogos acreditam que isso ajuda a manter as crianças livres da depressão.

Levando em conta o valor desse tempo, tanto diretamente para as crianças quanto para consolidar seus laços com elas, torne essa prática um hábito diário. É um pequeno esforço que proporciona uma enorme recompensa.

Amigos

Além dos seus familiares, quem deixaria você arrasado se morresse? Anote o nome dessas pessoas. Elas são seus amigos-chave, os 20% que contribuem com 80% de significado e valor para você.

A maioria das pessoas apresenta 10 ou menos nomes, embora geralmente conheça 100 ou 200 indivíduos. No meu caderno de endereços estão listados 207 amigos, no entanto somente 18 deles são de fato importantes para mim. Embora correspondam a menos de 9% do total, eles me dão pelo menos 90% do "prazer da amizade".

Procure estimar quanto tempo você passa com seus amigos-chave e com outros amigos. Talvez o resultado o surpreenda. É provável que você fique mais na companhia de vizinhos por quem tem simpatia do que com seus melhores amigos, caso eles vivam numa cidade distante. Acredito que você se sentiria mais feliz se a situação fosse inversa.

Tente morar perto dos seus melhores amigos. Mesmo que isso não seja possível, procure vê-los com freqüência.

O Estilo 80/20 para ter mais amor

Passo 1: Enfoque seu Destino 80/20

Enquanto você responde às perguntas a seguir, lembre-se de que menos é mais – seja mais seletivo e concentre-se profundamente no que tem importância real em sua vida.

Meu Destino 80/20 para ter mais amor

1. Quero e preciso encontrar um parceiro?

2. Desejo transformar uma pessoa específica em meu parceiro?

3. Devo fazer algo de modo diferente para ter certeza de manter meu parceiro?

4. Quero uma família feliz? Estou pronto para o compromisso de criar crianças felizes e realizar as ações necessárias para isso?

5. Tenho vontade de ver meus melhores amigos com mais freqüência?

Passo 2: Encontre sua Rota 80/20

Como pode você obter mais com menos – envolvimento e amor mais intensos com menos angústia e um esforço menor?

Minha Rota 80/20 para ter mais amor

1. Se não tenho alguém com quem esteja totalmente envolvido, que tipo de parceiro quero amar por muito tempo:

   Uma pessoa segura?

   Uma pessoa otimista?

   Uma pessoa capaz de evitar críticas ásperas e discussões freqüentes?

   Uma pessoa que compartilhe meus valores básicos?

   Quais são eles?

2. Conheço alguém que eu poderia querer como parceiro amoroso?

   É uma pessoa segura?

   É otimista?

   Consegue evitar críticas ásperas e discussões freqüentes?

   Compartilha meus valores básicos?

(continua)

(continuação)

3. Onde é mais provável que eu encontre o parceiro amoroso certo?

   Que ações eu poderia executar para conhecê-lo?

   Que ações dariam o melhor resultado em troca da minha energia e de quais delas eu gostaria mais?

4. Tenho conhecimento das poucas coisas que deixam meu parceiro amoroso feliz? (Que tal perguntar?)

   Quais são as poucas ações que preciso realizar diariamente ou toda semana para atender as necessidades-chave dele?

5. Sou capaz de ter uma família feliz?

   Pratico espirais de amor?

   Dou mais feedbacks positivos do que negativos?

   Estou disponível para meus filhos e sou generoso com meu tempo?

   Meu parceiro e eu somos unidos e amorosos?

   Lido com acontecimentos ruins e crianças difíceis e continuo sendo amoroso?

(continua)

(continuação)

Imponho limites sem privar as crianças de amor?

Passo os últimos 15 minutos do dia dos meus filhos ao lado deles?

6. Se eu quiser ver meus melhores amigos com mais freqüência, de que maneira posso conseguir isso?

   Que rota me dá a melhor solução por menos esforço e custo?

Passo 3: Execute a Ação 80/20

> **Ação 80/20 para ter mais amor**
>
> Quais são as três ações mais importantes que devo executar agora?
>
> Ação 1:
>
> Ação 2:
>
> Ação 3:
>
> De que relações superficiais ou sem importância posso retirar energia para usar nessas três ações-chave?

As normas modernas estão fora de sintonia com nossas necessidades mais profundas de amor e afeição. Na busca do mais com mais, muitas pessoas "de sucesso" colocam o trabalho e a carreira em primeiro lugar e tentam preencher a lacuna emocional que isso cria expandindo o número e a variedade dos relacionamentos que estabelecem. Inevitavelmente, a maioria deles é superficial e insatisfatória. Destinando energia a um grande número de relações e ao trabalho, essas pessoas se privam do significado e da alegria proporcionados por aqueles poucos relacionamentos importantes e pelo envolvimento amoroso.

Nas relações humanas, em especial, menos é mais.

CAPÍTULO 8

A boa e simples vida

"A capacidade de simplificar significa eliminar o desnecessário para que o necessário possa se manifestar."

– Hans Hofmann

Pensando no almoço, o executivo em férias contemplava o mar calmo e azul. Um pequeno barco levando um grande atum de barbatanas amarelas ancorou próximo ao belo vilarejo mexicano. O pescador solitário pulou para a margem.

– Grande pesca – disse o turista. – Quanto tempo levou?

– Não muito – respondeu o mexicano.

– Por que não fica mais e pega mais peixes?

– Isso é suficiente para manter minha família abastecida.

– E o que você faz com o resto do seu tempo?

– Durmo tarde, pesco um pouco, brinco com meus filhos, almoço, faço a sesta com Maria, minha mulher. Dou um passeio pelo vilarejo todas as noites, beberico vinho, toco violão e jogo cartas com meus amigos. É uma vida plena e rica, senhor.

– Acho que posso ajudá-lo – disse o visitante franzindo o nariz. – Tenho mestrado na Universidade de Harvard e vou lhe dar o conselho que você obteria na Faculdade de Administração. Passe mais tempo pescando, compre um barco maior, ganhe mais dinheiro e vá adquirindo barcos até montar uma frota. Não venda o pescado para intermediários, e sim diretamente para a empresa de processamento. Depois crie seu próprio negócio de enlatamento. Você controlaria o produto, a produção e a distribuição. Poderia então deixar este vilarejo, mudar-se para a Cidade do México, depois para Los Angeles e talvez até para Nova York para comandar sua próspera empresa.

– Mas, senhor, quanto tempo isso levaria?

– De 15 a 20 anos.

– E depois, senhor?

– Essa é a melhor parte – riu o executivo. – Quando chegasse a hora certa, você poderia negociar na bolsa de valores e ganhar milhões de dólares.

– Hum, milhões de dólares. E depois, senhor?

– Depois poderia se aposentar e ir para casa. Mudar-se para um belo vilarejo junto ao mar, dormir tarde, pescar um pouco, almoçar, brincar com seus filhos, fazer a sesta com sua mulher, passear pelo vilarejo à noite, bebericar seu vinho, tocar violão e jogar cartas com os amigos.

Qual é a vida boa?

Três séculos antes de Cristo, os filósofos gregos debatiam o que tornava uma vida boa. Talvez a visão mais convincente tenha sido a de Epicuro, que seguiu o próprio conselho e viveu feliz.

"Não sei como eu seria capaz de imaginar uma vida boa sem o prazer do paladar, o prazer sexual, o prazer de ouvir ou sem as doces emoções causadas pela contemplação de belas formas", disse ele.

Segundo Epicuro, tudo de que precisamos para a felicidade é:

- ❑ Comida, abrigo, roupas
- ❑ Amigos
- ❑ Liberdade
- ❑ Pensamento

"Para viver feliz por toda a vida, a coisa mais importante, de longe, é ter amigos... um monte de amigos verdadeiros", garantiu o filósofo. Ele conseguiu uma casa fora de Atenas e mudou-se para lá com sete amigos. "Nunca coma sozinho. Comer com amigos é muito melhor", aconselhou.

O círculo de Epicuro valorizava a felicidade. Para evitar o trabalho desagradável, eles formaram uma comuna. Plantavam repolhos, cebolas e alcachofras e tinham grande prazer com sua independência. Trocavam idéias e escreviam livros. A vida era simples, nada suntuosa, porém plenamente satisfatória. "Comidas e bebidas de luxo não nos libertam de males nem nos dão saúde. Devemos considerar a riqueza além do natural tão útil para nós quanto a água é para um recipiente que já está cheio a ponto de transbordar", disse ele.

Epicuro e seus amigos acreditavam que *menos é mais*. Compare isso com a compulsão moderna de *mais com mais*. Numa pesquisa foi perguntado a assinantes da AOL de quanto dinheiro eles precisariam para se libertar das preocupações financeiras. Os de renda anual superior a US$100 mil responderam necessitar de muito mais dinheiro do que os que ganhavam menos de US$40 mil por ano. Os primeiros apresentaram também uma tendência cinco vezes maior a dizer que precisavam de pelo menos mais US$90 mil de renda anual. Isso mostra que, desde que busquemos mais com mais, nunca poderemos vencer, jamais estaremos satisfeitos.

Não é um sentimento inato de ganância que nos impele a querer mais com mais, e sim a estrutura da vida moderna e suas opressivas e insidiosas suposições. Hoje somos levados a acreditar que ter sucesso significa possuir mais dinheiro, que para conseguir mais dinheiro precisamos trabalhar mais, que há somente uma pista rápida e uma pista lenta e que a pista rápida exige de nós um esforço imenso em troca de recompensas enormes. Por isso nos preocupamos com nosso desempenho muito mais do que desejamos. Trabalhamos mais do que queremos, compramos mais coisas do que necessitamos e nos afastamos das alegrias simples que poderíamos ter com um relacionamento amoroso, a família, os amigos e a abundância de tempo.

E se realmente for possível obter mais com menos? Nesse caso, poderemos curtir os maravilhosos aspectos da vida moderna – o desafio do trabalho excitante, a descoberta dos nossos talentos, a plenitude material – e ter o controle do nosso tempo para desfrutar dos ricos relacionamentos pessoais. Ajustamos o círculo deixando de fora as atividades triviais e enfocando as de alto valor, tanto para as pessoas quanto para nós mesmos. Com isso somos capazes de simplificar, purificar, intensificar e relaxar – tudo ao mesmo tempo.

O critério mais com mais é como as novas roupas do imperador. Todo mundo diz que é assim que se vive, embora ninguém que vasculhe a própria alma consiga identificar o verdadeiro sentido disso. Somos levados a expressar a visão quase unânime de que o traje do imperador é magnífico. No entanto, cada um de nós traz oculta dentro de si a capacidade de revelar a qualquer momento a verdade que conhece e sente: o imperador está nu. O critério mais com mais conduz a menos fraternidade e felicidade, enquanto o mais com menos nos proporciona uma vida de mais qualidade, valor e profunda satisfação pessoal.

Como a busca do mais com menos segue numa direção contrária ao fluxo da vida moderna, precisamos tomar deliberadamente a decisão de abandonar a correria imposta pelo critério mais com mais. Por que isso parece tão difícil?

Há três motivos prováveis.

- Nossos desejos são infinitos e contraditórios. Somos inquietos, ambiciosos e condicionados a pensar que mais é melhor.
- Costumamos nos comparar com as pessoas. Se alguns dos nossos amigos começam a ganhar mais dinheiro, não queremos ficar para trás. Quando os vizinhos compram um carro novo, desejamos um também, embora sejamos perfeitamente felizes com o antigo. Mesmo já tendo a sorte de possuir um iate, reparamos que outro proprietário acabou de comprar um barco maior, com um radar mais poderoso.
- Em geral, acreditamos que ambição, esforço e trabalho árduo são coisas boas, que devemos desenvolver nossas aptidões e chegar às estrelas. Tendemos a nos sentir culpados se não estivermos competindo, lutando para ir mais longe.

Contudo, podemos abandonar a correria habitual sem esquentarmos a cabeça porque:

- A maior parte dos nossos desejos proporciona uma felicidade fugaz. Para sermos felizes, precisamos nos concentrar nas coisas que queremos, reduzindo-as até chegarmos às poucas que são as mais *importantes* para nós e nos dão felicidade. Dessa forma, quando sentimos outros desejos, nós os excluímos – não porque sejam obra do demônio, e sim porque sabemos que não nos trarão alegria. Paramos de nos preocupar. Simplificamos.
- Comparar nossos bens com os dos vizinhos é uma prática tão velha quanto a humanidade – Adão e Eva certamente comparavam suas folhas de parreira. O décimo mandamento recebido por Moisés proíbe cobiçar qualquer coisa que pertença ao próximo – a casa, a mulher, etc. Mas a sociedade consumista eleva a tentação a uma forma de arte. A indústria da publicidade e do marketing nos tornou viciados em comparar e adquirir bens – a economia gira em torno de uma interminável e despropositada corrida em busca de mais.

Se precisamos nos comparar com o vizinho, é melhor fazermos isso em termos de riqueza relativa ou de felicidade? Moisés deveria ter dito: "Vamos, amigos, cobicem qualquer coisa que quiserem, no entanto saibam que está cientificamente provado que bens materiais não proporcionam felicidade. O que vocês preferem: ter um monte de casas, escravos e gado ou serem felizes?"

Você possui bens em excesso ou tem poucas posses? Sua felicidade a longo prazo seria maior se você optasse pela complexidade ou pela simplificação? Você usa todas as coisas que tem? Para chegar a uma resposta, dê uma olhada no seu guarda-roupa – você o simplificou a ponto de deixar ali apenas as roupas que veste com freqüência ou ele está

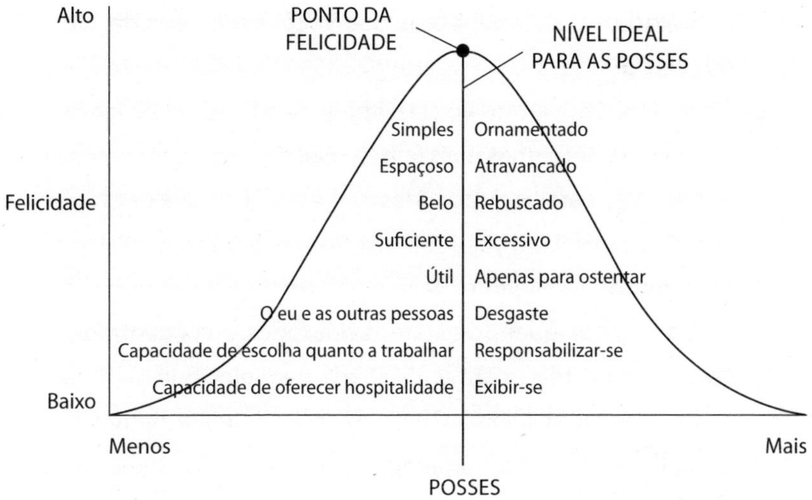

Figura 13 O ponto da felicidade em relação às posses

Figura 14 O ponto da felicidade em relação ao trabalho árduo e ao esforço

entupido com 80% de peças que você usa menos de 20% do tempo?

- É bom nos dedicarmos ao crescimento e ao desenvolvimento pessoal: nos tornamos mais felizes, melhores como indivíduos e mais úteis para os outros. Mas forçarmos a barra a ponto de ficarmos estressados, sem tempo, irritadiços e infelizes não é uma atitude inteligente. Realizamos uma quantidade maior de boas ações quando estamos relaxados e concentrados. Contribuímos mais para a felicidade daqueles que amamos quando estamos felizes. Obtemos mais alegria e bem-estar simplificando a vida, mantendo apenas as coisas essenciais que funcionam melhor para nós.

O ponto da felicidade é o grau de trabalho árduo e esforço que nos faz mais feliz a longo prazo. Onde está você na curva? Seria mais feliz e mais evoluído com mais ou com menos empenho?

Pular fora da correria habitual requer uma ruptura completa – uma ação decisiva para rejeitar a complexidade e as preocupações inerentes ao mundo moderno, estruturando, em seu lugar, uma vida boa e simples, confiante de que pode criar mais com menos.

Ann encontra a vida boa e simples

Ann é uma amiga próxima. Ainda na casa dos 20 anos, foi uma bem-sucedida gerente de contas na área de publicidade. Aos 29 anos, numa guinada abrupta, largou o emprego e nunca teve outro. Por 10 anos simplificou sua vida dedicando-se às coisas que queria fazer, atividades criativas de diversos tipos. Veja seu depoimento a seguir.

"Eu me divertia trabalhando com publicidade e ganhava um bom dinheiro. Mas houve um dia em que me perguntei o que realmente queria fazer com minha vida. A resposta foi clara. Meu desejo era pintar, esculpir, compor e tocar piano. Aprender a tocar outros instrumentos. Concretizar meus projetos.

Não era minha intenção subir a escada corporativa, ficar presa em engarrafamentos no trajeto para o trabalho, ter um supervisor, participar da corrida de ratos. Preferi trabalhar em casa, controlar meu tempo, ficar livre para caminhar ao pôr-do-sol, encontrar um amigo. Acima de tudo, desejava desenvolver meu lado criativo, ver aonde ele me levaria.

Deixei a ampla casa onde eu morava. Comprei um belo estúdio de um só cômodo com um grande mezanino sob uma clarabóia. Meus pais ficaram irados, especialmente meu pai. Afinal, eles haviam feito muitos sacrifícios para pagar minha faculdade e estavam orgulhosos do meu progresso, do meu estilo de vida. Não conseguiam compreender a necessidade que eu tinha de seguir meu próprio caminho e que não desejava morrer rica, porém com a música trancada dentro de mim. Continuavam perguntando de onde viria o dinheiro.

Boa pergunta. Quando eu ganhava bem, gastava muito. Embora eu tivesse uma poupança, ela se foi no pagamento da entrada do estúdio. De qualquer forma, logo percebi que meus gastos seriam poucos. Não tinha despesa para ir ao trabalho, não necessitava mais do meu vistoso carro esportivo nem de roupas caras para impressionar os clientes. Não precisava comer em restaurantes chiques. No primeiro ano depois que deixei o emprego, ganhei apenas um terço do que recebia antes. Mas passei a pagar bem menos impostos e descobri que conseguiria viver vendendo retratos e esculturas de pessoas e famílias. A questão fundamental era que eu só fazia o que queria e estava muito mais feliz.

Experimentei várias maneiras de ganhar dinheiro, entretanto sempre obedecendo a uma condição: eu tinha que gostar do trabalho e conseguir me expressar por meio dele. O interessante é que nos últimos cinco anos voltei a ter uma boa renda, porém agora como autônoma e fazendo exatamente o que desejo."

Como abandonar a correria para ter mais com mais

Decidir buscar mais com menos é difícil, pois temos que nos livrar de todos os conceitos equivocados da vida moderna. No entanto, se assumirmos um compromisso com o critério menos é mais, esse processo se tornará mais fácil.

Por quê? Porque esse é um processo de subtração. Não precisamos fazer mais, e sim menos. Não temos que alcançar o desconhecido. Podemos simplificar dirigindo nossa atenção para os melhores e mais satisfatórios aspectos da vida que já temos.

Paramos de tentar conseguir mais. Desistimos de abraçar tudo. Abrimos mão, relaxamos. Nossa felicidade natural interna é liberada.

Deixamos de nos esforçar para adquirir "hábitos mais eficazes". Abandonamos práticas que não funcionam para nós. Não perdemos tempo com coisas que não nos dão felicidade e satisfação, que não são necessárias à nossa vida nem à felicidade de pessoas importantes para nós.

Não precisamos dizer "sim" a todo tipo de pedido. Temos apenas que nos perguntar: "Isso é de fato algo que eu quero fazer, é parte da vida que desejo?" Quando a tarefa não tem nada em comum com nosso propósito, respondemos "não". Fazemos menos e nos divertimos mais.

Cortamos itens das nossas listas. Menos trabalho. Menos compras. Arrumamos o guarda-roupa. Damos coisas de que não precisamos. Fazemos uma reciclagem. Abandonamos os sentimentos de raiva ou depressão. Colocamos um ponto final num velho ressentimento. Perdoamos os inimigos ou – o que é mais difícil – nossos amigos.

Paramos de nos comparar com os outros. Passamos a nos contentar em ser felizes. Ficamos alegres com o que temos. Já não nos esforçamos para conseguir coisas que nos deixam inquietos e infelizes.

Editamos nossa vida. Cortamos encontros, viagens e relacionamentos que não são satisfatórios. Se algo não está nos levando a lugar nenhum, paramos.

A vida moderna pode exigir de nós um treinamento caro e difícil para enfrentarmos as dificuldades. Em tese, psicanalistas, terapeutas e especialistas em motivação estão aptos a nos orientar para lidar melhor com o estresse e com nosso mau comportamento. É como aprender tudo sobre cobras para lidar melhor com elas.

Por que nos darmos a esse trabalho? É melhor evitar os "ninhos de cobras", áreas da vida em que não nos saímos bem. Menos é mais – temos que deixar de lado as coisas estressantes e não recompensadoras. Quando estamos determinados, sempre encontramos um meio de fazer isso.

Tenho uma casa na Espanha. Vou lá com freqüência para escapar de compromissos de negócios e me concentrar em pensar e escrever. Limito o fluxo de informação que posso receber:

- ❑ Nada de rádio e televisão.
- ❑ Poucos telefonemas – um número secreto, um telefone fixo, nenhuma agenda de telefone, nenhum celular. Por sorte, o sistema telefônico falha regularmente.
- ❑ Vejo somente os poucos amigos com quem de fato quero me encontrar.
- ❑ Leio o jornal apenas no sábado.

Resultado? Escrevo três ou quatro vezes mais rápido e penso muito melhor do que quando estou em outro lugar. Adoro minha vida simples na Espanha. Desfruto cada hora – escrevo, passeio diariamente de bicicleta pelas montanhas, jogo tênis, janto com amigos. Vida simples. Doces rituais todos os dias. Muito barato.

Pense no que é simples, econômico e o faz feliz. Conheça algumas idéias para simplificar sua vida e veja o diagrama de prazer de Jane na página ao lado.

Que tal menos prazeres caros e mais prazeres simples? Faça seu próprio diagrama no espaço em branco na página 174.

UMA VIDA SIMPLES SIGNIFICA MENOS	E MAIS...
Trabalho de que você não gosta e no qual não é bom	Trabalho de que você gosta e no qual é bom
Obrigações e deveres	Diversão e recreação
Rotina	Surpresas
Atividades com baixo retorno da energia investida	Atividades com alto retorno da energia investida
Tempo perdido com espera ou preocupações	Eventos em que você se diverte
Encontros com pessoas de quem você não gosta	Encontros com bons amigos
Idas a lugares que você não aprecia	Idas a lugares que você aprecia
Telefonemas	Tempo para pensar
Viagens e deslocamento para o trabalho	Paz e tranqüilidade
Tempo ao volante	Caminhadas/bicicleta
Exercícios de que você não gosta	Exercícios de que você gosta
Crises	Reflexão para evitar crises
Aceitação do lado ruim das coisas	Aceitação do lado bom das coisas
Sobrecarga de informação	Informação sobre seus interesses especiais
Gastos	Doação, reciclagem
Hábitos que você não aprecia muito	Rituais diários que você ama
Grandes coisas que fazem pouca diferença	Pequenas coisas que fazem grande diferença

Idéias para simplificar sua vida

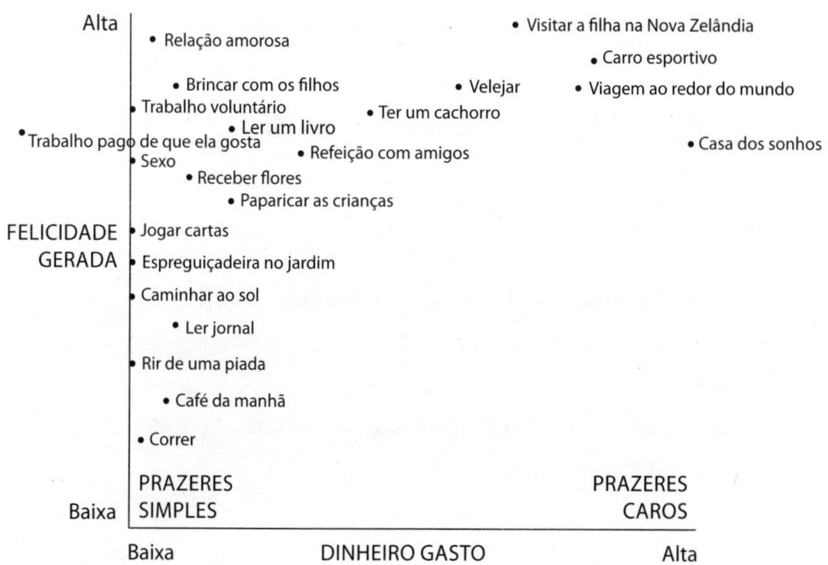

Figura 15 Diagrama do prazer de Jane

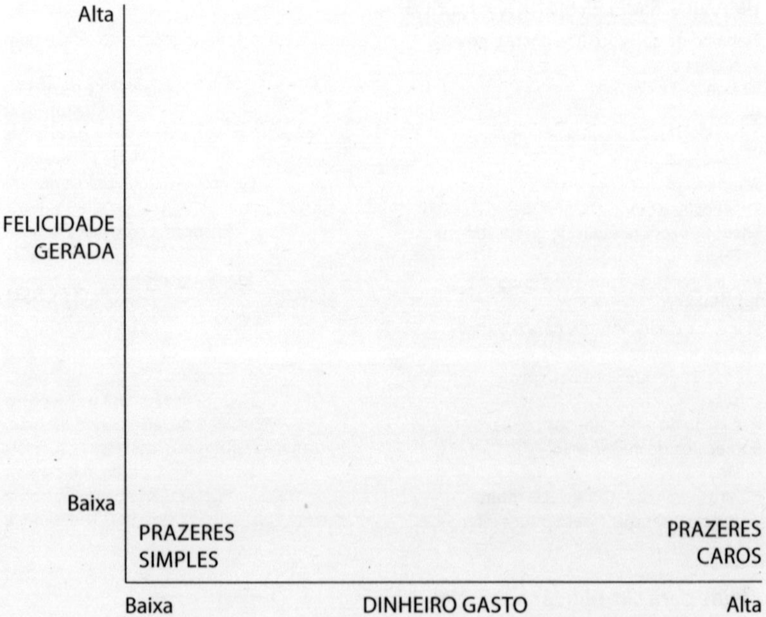

Figura 16 Seu próprio diagrama do prazer

O Estilo 80/20 para a boa e simples vida

Passo 1: Enfoque seu Destino 80/20

Qual é a vida ideal, boa e simples para você?

Como você poderia tornar sua vida mais simples? De que modo ela seria diferente?

Passo 2: Encontre sua Rota 80/20

O desafio é descobrir algo que seja ao mesmo tempo melhor e mais simples, oferecendo mais com menos. Simplifique e elimine da sua vida as coisas que causam preocupação ou perturbação desnecessária e proporcionam muito pouco benefício em relação à energia e/ou ao tempo que absorvem. Coloque um ponto final na aflição desencadeada pelo excesso de escolhas e de ambições.

Evite seus "ninhos de cobra"

Quais são seus "ninhos de cobra" pessoais?

O que você poderia fazer para descartá-los ou para evitar passar tanto tempo neles?

O Estilo 50/5: Livrar-se das coisas que não importam

Após eliminarmos o que é negativo, vamos cortar as muitas coisas que absorvem energia e que não nos dão quase nada em troca.

O Estilo 80/20 tem um companheiro próximo – o Estilo 50/5. Cinqüenta por cento do que fazemos produz geralmente uma quantidade mínima (5%) de felicidade e resultados.

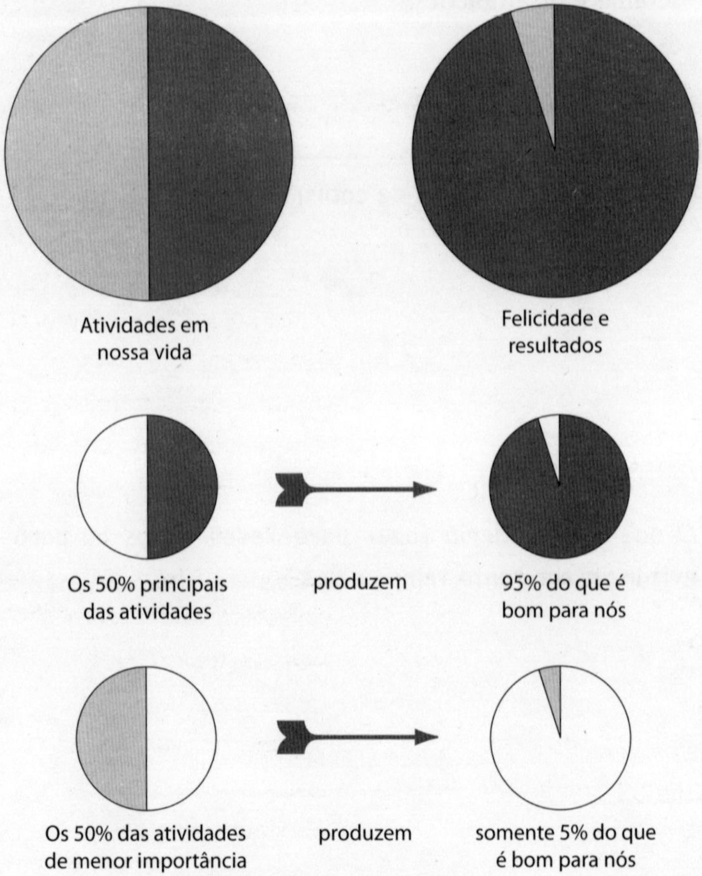

Figura 17 O Estilo 50/5

Que tarefas tumultuam sua vida e proporcionam pouca felicidade ou resultados?

De que maneira você pode eliminá-las?

Que luxos caros você pode substituir por prazeres simples e baratos?

Mais dos prazeres simples	Menos dos luxos caros

Como fazer isso?

Você consegue imaginar uma vida em que a maioria dos dias fosse cheia de seus prazeres simples preferidos?

O que você pode fazer para se aproximar dessa vida ideal?

Passo 3: Execute a Ação 80/20

Quais são as três ações fáceis e imediatas rumo ao seu Destino 80/20 - aquelas que o farão avançar em direção à vida boa e simples gastando o mínimo de energia?

Ação 1:

Ação 2:

Ação 3:

Você vai começar hoje ou nesta semana?

Quando concluir essas ações, realize mais três e depois outras três até chegar à *dolce vita* – uma vida que o desafie e lhe permita ser do jeito que *você* quer, livre de preocupações e da tirania do critério mais com mais. Quando percebemos que menos é mais e enfocamos as poucas coisas importantes, é sempre possível obter mais com menos – uma vida profissional e pessoal que seja simples, revigorante e estruturada em torno do que adoramos fazer.

PARTE TRÊS

Concretizando as metas

CAPÍTULO 9

O poder da ação positiva parcimoniosa

"Se fazer fosse tão fácil quanto saber o que é melhor fazer, as capelas seriam igrejas, e as cabanas dos pobres, palácios principescos."

– William Shakespeare, *O mercador de Veneza*

Julie e Sandra, gêmeas idênticas, são muito tímidas. Como querem ir à festa de uma grande amiga, decidem curar a própria timidez. Resolvem então procurar livros na seção de auto-ajuda na livraria local.

Julie compra um best-seller sobre pensamento positivo escrito por um célebre consultor da área de motivação. Ela aprende que precisa reprimir a timidez. Sempre que se sentir muito acanhada, deve descartar o pensamento dizendo a si mesma que não é mais tímida, que sua personalidade introvertida oculta uma personalidade extrovertida que pode ser liberada.

Na tarde da festa, Julie começa a mudar de opinião. "Sempre fico constrangida nessas situações, é melhor eu não ir", reflete. Mas procura estimular o pensamento positivo e diz a si mesma: "Bobagem, garota! Você pode ser a alma da festa. Finja que não é tímida e não será."

Pouco antes de sair, para acalmar os nervos e ajudar a despertar seu lado extrovertido, Julie toma uma boa dose de vodca com tônica.

No táxi com Sandra, sente-se animada. O pensamento positivo está funcionando. Ao chegar à festa, contudo, percebe que o efeito da vodca está se dissipando. O bar está apinhado, e ela, ansiosa como sempre. Embora tente manter a disposição positiva, 15 minutos depois ainda não consegue falar com ninguém – nem mesmo com Sandra, que está totalmente envolvida numa conversa com um rapaz deslumbrante. Sem querer interromper e sentindo-se mal como sempre, Julie vai embora em meia hora. A única coisa que tem em mente é: chega de festas. Talvez possa conhecer um rapaz no trabalho.

No café da manhã, pergunta a Sandra como se saiu na festa.

– Maravilhosamente – ela diz, notando tarde demais a expressão triste da irmã.

– Como conseguiu acabar com a timidez? – pergunta Julie.

– Não consegui. Enquanto você estava toda animada no táxi, eu me sentia ansiosa como sempre e com um medo terrível de ir à festa. Mas a orientação do livro que comprei era para não me preocupar com o fato de ser tímida; bastava realizar uma ação positiva. Então eu disse a mim mesma: "Por mais que você se sinta mal com isso, Sandra, aproxime-se do primeiro rapaz de que gostar, apresente-se e diga algo, qualquer coisa. Faça isso nos 10 primeiros minutos após sua chegada. Se o primeiro cara não for receptivo, tudo bem. Tente mais dois. Caso isso não dê certo, não será necessário falar com mais ninguém. Pelo menos você tentou." Então notei aquele cara bonito de camisa azul e o convidei para dançar. Eu estava olhando para ele com a maior atenção e acho que o vi sorrir discretamente para mim. De qualquer modo, ele topou dançar e me apresentou aos amigos. Depois de duas músicas, eu não estava mais nervosa.

– Qual era o livro?

–Ah, está lá em cima, tem um título estranho, com números.

O pensamento positivo talvez dê resultados para a minoria de pessoas naturalmente otimistas, mas elas não precisam de ajuda. O problema com o pensamento positivo e com muitos outros conselhos dos gurus de auto-ajuda é que esse tipo de orientação pode não ser realista, levando-nos a reprimir nossas emoções. A tentativa de nos enganar afirmando que o preto é branco não costuma funcionar por muito tempo.

Não é fácil nem rápido mudar o modo como nos sentimos em relação à vida – nem precisamos fazer isso. Todos nós estamos sujeitos a ter emoções "negativas", isto é, a nos sentirmos entristecidos, ansiosos, raivosos ou fracos. Emoções desse tipo são valiosas, pois nos dizem algo útil sobre nós mesmos.

As emoções têm que ser aceitas, e não sufocadas. Use sua capacidade de pensar com deliberação para "conversar" com elas e racionalizá-las. O ideal seria tratá-las como pessoas de quem você discorda. Em vez de interrompê-las, "tome um café" com elas. Deixe-as dizer o que pensam, admita seus próprios sentimentos – ainda assim, opte por agir positivamente.

Julie tentou sufocar sua timidez, mas esse sentimento voltou a dominá-la na festa, o que a deixou de baixo-astral.

Sandra não reprimiu nada, por isso não ficou triste ao se sentir retraída. Aceitou que era acanhada e que havia a probabilidade de retornar da festa sentindo-se mal, porém resolveu executar algumas ações que acabaram proporcionando o resultado que ela desejava. Quando decidiu tomar uma atitude, sentia-se constrangida e admitiu esse fato para si mesma. Ainda assim, forçou-se a ir em frente e, em pouco tempo, sua ação mudou tudo, inclusive seus sentimentos.

O escritor e terapeuta Viktor Frankl sabia que sua chance de sobreviver num campo de concentração nazista era mínima. Chegou até a fazer os cálculos - uma em 28. O pensamento positivo não tinha poder em Auschwitz, onde o comportamento não realista conduzia diretamente à câmara de gás.

Mas Frankl agiu de modo otimista. "Quando fui levado para Auschwitz confiscaram um manuscrito meu que estava pronto para publicação. Depois, na época em que adoeci com febre tifóide num campo da Bavária, rabisquei em pequenos pedaços de papel muitas notas que pudessem me ajudar a reescrever o manuscrito, caso eu conseguisse viver até à libertação. Tenho certeza de que a reconstrução da minha obra nos abrigos escuros daquele campo da Bavária me ajudou a superar o risco de um colapso cardiovascular", escreveu ele.

Frankl também elaborou discursos mentalmente e imaginou-se fazendo-os para platéias depois da guerra, com o objetivo de evitar que os campos de concentração voltassem a existir. Ainda que considerasse quase impossível sobreviver, parou de se preocupar e executou toda ação positiva de que era capaz.

Sua obra reconstruída, *Em busca de sentido*, vendeu mais de 9 milhões de exemplares. A Biblioteca do Congresso americano considerou-o um dos 10 livros mais importantes do século XX.

Viktor Frankl não reprimiu suas emoções. Seu livro é triste e aborda de modo realista os horrores da vida nos campos de concentração. Mesmo assim ele se perguntava: "O que posso fazer que tenha chance de funcionar, que me dê um motivo para continuar vivendo?" Então ele agiu, embora na maior parte do tempo se sentisse deprimido, faminto e atormentado. Não tentou *pensar* positivamente, apenas *agiu* dessa forma.

Ele notou que outras pessoas também conseguiam se comportar assim: "As experiências nos campos de concentração mostram que o homem pode escolher como agir... Nós que vivemos nesses lugares nos lembramos daqueles que caminhavam pelos abrigos confortando os outros, dando seu último pedaço de pão."

Se prisioneiros de um campo de concentração conseguem executar uma **ação positiva**, por que **todos nós** não conseguimos?

Na próxima vez que você estiver triste, pergunte-se que ação positiva pode tentar para mudar seu estado de espírito. Se não conseguir, experimente uma das sugestões a seguir – ou todas elas.

- ❑ Escolha alguém para quem sorrir – mesmo que seja um estranho.
- ❑ Faça uma longa caminhada ou outro exercício qualquer.
- ❑ Realize um ato de bondade.

Por piores que sejam nossas emoções e as circunstâncias em que nos encontremos, podemos mudar nossa vida com algumas Ações 80/20 – elas são relativamente fáceis e fazem uma grande diferença para nossa felicidade e a das pessoas à nossa volta.

A citação de Shakespeare no início deste capítulo está certa: é muito mais difícil fazer do que saber o que fazer. Quantas vezes decidimos realizar algo positivo, mas retomamos a vida normal sem dar esse passo decisivo? Para mudarmos nossa vida, temos que tornar as coisas mais fáceis para nós mesmos – precisamos executar a mudança fundamental, contudo sem despender um esforço sobre-humano nessa ação. É nisso que o Estilo 80/20 é tão diferente e muito mais eficaz, por duas razões.

Em primeiro lugar, o Estilo 80/20 não exige que mudemos a maneira como *nos sentimos*. Isso vem depois, naturalmente, sem estresse, à medida que nossas ações produzirem os resultados desejados.

Em segundo lugar, não precisamos aumentar o esforço e a energia que já direcionamos à vida diária. Quando passamos a nos concentrar nas poucas coisas que de fato têm importância para nós (menos é mais), somos capazes de transformar nossa vida realizando um esforço menor e tendo menos preocupações. Sendo altamente seletivos sobre o que queremos e nos limitando às coisas fundamentais que expressam nossa individualidade, podemos ser mais preguiçosos e, no entanto, agir com mais eficácia. Com a aplicação do critério mais com menos, temos condições de encontrar uma solução muito melhor que demande menos energia.

O segredo da Ação 80/20 é sermos parcimoniosos, isto é, econômicos, nas *ações positivas*. Temos que ser sovinas com nossa energia. Ela existe numa quantidade limitada. Só devemos usá-la nas poucas ações que podem nos tornar felizes e poderosos.

É mais fácil mudar algumas coisas que *fazemos* do que as que habitualmente *pensamos* e *sentimos*. Se você executar as poucas *ações* certas, seus sentimentos cuidarão de si mesmos.

Basta que reflita e depois aja:

- ❑ Enfoque aquilo que você quer: as poucas coisas mais importantes. Esse é o *Destino 80/20.*
- ❑ Encontre a rota mais fácil para você: as poucas ações que produzirão os resultados esperados, com o mínimo de esforço e estresse. Essa é a *Rota 80/20.*
- ❑ Dê os passos seguintes mais importantes na rota. Essa é a *Ação 80/20.*

Até agora nos concentramos em pensar. Chegou o momento de colocarmos em prática os critérios menos é mais e mais com menos – é hora de *agir.*

A boa notícia é que podemos aplicar o Estilo 80/20 ao processo da Ação 80/20. Há um programa de ação simples que funciona de verdade. E ele é descrito a seguir, no último capítulo.

CAPÍTULO 10

Seu Plano de Felicidade 80/20

"Apenas faça."

– Lema da Nike

Há uma história verdadeira sobre um pelotão de jovens soldados húngaros que se perdeu nos Alpes durante um treinamento. Em meio ao clima horrível, sem comida e suprimentos, eles ficaram isolados dos companheiros. Sofrendo com o granizo e a neve por dois dias, viram-se congelados, famintos e fracos. Não tinham idéia de como voltar para a base. Haviam perdido a vontade de viver.

Então aconteceu um milagre. Procurando um cigarro no forro de sua túnica, um dos soldados encontrou de repente um velho mapa que foi usado confiantemente pelos soldados para caminhar pelas montanhas de volta à segurança.

Somente depois de aquecidos e alimentados no acampamento da base, eles descobriram que o mapa utilizado era dos Pireneus, a cerca de 2.000km de distância.

Essa história contém duas lições preciosas:

❏ É melhor agir de modo construtivo do que ter a resposta certa e não agir.

- ❑ Precisamos encontrar nossa própria resposta ou adaptar a resposta de outra pessoa às nossas circunstâncias. Os soldados chegaram à base em segurança porque conseguiram extrair um sentido do mapa para si mesmos, relacionando-o aos arredores do local onde estavam.

Este é o momento de você agir, adaptar as orientações do Estilo 80/20 para adequá-las a seus próprios desejos, inclinações e necessidades. Você pode tornar sua vida muito melhor, livre de confusões, aborrecimentos e esforços descomunais.

Mas isso requer *ação*:

- ❑ Reserve um dia na semana em que possa dedicar uma hora ao seu Plano de Felicidade 80/20 – por exemplo, domingo das 16h às 17h. Qualquer programação de data e horário serve, contanto que você a cumpra.
- ❑ O ideal é ter um amigo que possa ser seu mentor e você o dele – por exemplo, outro leitor deste livro que queira mudar a própria vida. Compare as anotações sobre seu progresso com as dele, talvez num encontro em sua hora semanal do Plano de Felicidade 80/20.
- ❑ Complete seu Plano de Felicidade 80/20. Isso é fácil: faça um resumo do que já decidiu e escreveu na parte dois. A figura 18 (página 193) fornece um exemplo, enquanto a figura 19 (página 194) está vazia para você completá-la.[1]

Sugestões para que você complete seu Plano de Felicidade 80/20

1. Retome as anotações que fez nos capítulos 4 a 8.
2. Especifique muito bem seu Destino 80/20. Depois que o alcançar, defina outro.

3. Escolha a rota (ou rotas) que preferir e que o levará ao seu destino. Opte por uma que ofereça mais com menos, isto é, que seja ao mesmo tempo mais recompensadora e mais fácil do que outra que você normalmente selecionaria. É necessário que acredite que a percorrerá com êxito; caso contrário, siga por uma rota mais simples.
4. Sempre anote uma, duas ou três Ações 80/20. Faça uma lista delas na ordem em que você as executará.
5. Escolha uma das cinco áreas (pessoal, trabalho e sucesso, finanças, relacionamentos, a boa e simples vida) para começar. Opte pela que for mais importante para você no momento – aquela em que mais necessita progredir – ou aquela em que terá mais facilidade para agir com êxito. O item "seqüência" significa a ordem em que as cinco áreas serão abordadas – você poderá modificar a seqüência posteriormente, depois que alcançar o sucesso na primeira área.
6. Estipule a "data para começar a ação", determinando a semana, o mês ou o ano. Anote-a (por exemplo, janeiro de 2010).
7. Conclua uma Ação 80/20 antes de iniciar a seguinte.
8. Se uma rota ou ação não estiver funcionando, escolha outra. Mas lhe dê uma chance antes de mudar.

Use a hora semanal do seu Plano de Felicidade 80/20 para monitorar seu avanço, utilizando um diagrama de progresso. O diagrama de Caroline (figura 20, página 195) lhe fornece uma idéia, enquanto a figura 21 é um exemplo de diagrama de progresso que você deve usar por 12 meses.

Caroline decidiu abordar a área *finanças* primeiro. O lado esquerdo da figura 20 traz os tópicos da seção finanças da figura 18. No lado direito, estão listadas as semanas.

Caroline executa sua primeira Ação 80/20. Ela a termina na primeira semana. Depois disso, inclui a segunda Ação 80/20, anotando seu progresso semanal. Na quarta semana, ela consegue um emprego nas férias de Natal. Após fazer a abordagem da área das finanças, avança na semana seguinte para a área do sucesso e do trabalho.

Sugestões para completar seu diagrama de progresso do Plano de Felicidade 80/20

- ❑ No item "área", insira a que você escolheu abordar primeiro. No lado esquerdo, repita o que escreveu sob essa área na figura 19.
- ❑ No lado direito, registre as datas dos fins das semanas do mês em questão e depois inclua sua primeira Ação 80/20. Anote seu progresso no lado direito no fim de cada semana.
- ❑ Quando a primeira Ação 80/20 estiver terminada, inicie a segunda, e assim por diante.
- ❑ Se você conseguir concluir todas as Ações 80/20 naquele mês, comemore – tire o restante dos dias de férias. No mês seguinte, avance para a segunda área.

No trajeto diário para o trabalho, rememore sua Ação 80/20. Escreva-a em seu diário ou em cartões e coloque-os na bolsa ou na carteira. Melhor ainda, torne a Ação 80/20 tão simples e clara que você se lembre dela o tempo todo. Visualize-se executando a Ação 80/20 para ajudar a torná-la realidade.

Não estabeleça prazos para as Ações 80/20. Eles costumam parecer fáceis demais ou, com mais freqüência, difíceis demais. Desde que você esteja evoluindo, continue a se dedicar à Ação 80/20 até concluí-la.

Algumas Ações 80/20 demoram apenas um dia, mas outras podem demandar meses ou anos. Se você sentir que não está avançando de modo satisfatório, escolha outra ação ou rota e comece de novo. Seja o próprio juiz do seu progresso – você é o beneficiário.

Capítulo	**4**	**5**	**6**	**7**	**8**
Área	**Pessoal**	**Trabalho e sucesso**	**Finanças**	**Relacionamentos**	**A boa e simples vida**
Destino 80/20	Tornar-me um especialista em cuidar de cães abandonados.	Encontrar um trabalho de que eu realmente goste.	Pagar a entrada da casa própria até 2010.	Encontrar um parceiro amoroso seguro, otimista e que goste de cães.	A vida ideal é passar o tempo todo com animais e com quem os ama.
Rota(s) 80/20	Encontrar três mentores que já sejam especialistas.	Estudar veterinária.	Economizar e investir 10% da minha renda automaticamente. Conseguir empregos para trabalhar à noite e nos fins de semana.	Conhecer possíveis parceiros no abrigo para animais resgatados e na Faculdade de Veterinária.	Convencer meus pais a permitir que eu curse a Faculdade de Veterinária.
Ação 80/20	1. Identificar os melhores orientadores. 2. Elaborar um meio de ajudá-los.	1. Passar nos exames de biologia. 2. Visitar colegas veterinários. 3. Entrar para a faculdade que escolhi.	Investir automaticamente 10% da minha renda. Conseguir um trabalho nas férias.	1. Oferecer-me para trabalhar como voluntária no abrigo de animais resgatados. 2. Conhecer melhor Wilson e Tom.	1. Tirar a nota mais alta em biologia. 2. Fazer com que o tio Walter convença meus pais.
Seqüência	5	2	1	4	3
Data do início da ação	Posteriormente	Este ano	Esta semana/este mês	No próximo ano	Este ano

Figura 18 O Plano de Felicidade 80/20 de Caroline

Capítulo	4	5	6	7	8
Área	**Pessoal**	**Trabalho e sucesso**	**Finanças**	**Relacionamentos**	**A boa e simples vida**
Destino 80/20					
Rota(s) 80/20					
Ação 80/20					
Seqüência					
Data do início da ação					

Figura 19 Seu Plano de Felicidade 80/20

O Estilo 80/20	
Área	Dinheiro
Destino 80/20	Pagar a entrada da casa própria até 2010.
Rota(s) 80/20	Economizar e investir 10% da minha renda automaticamente. Conseguir empregos para trabalhar à noite e nos fins de semana.
Ação 80/20 **1**	Investir automaticamente 10% da minha renda.
2	Conseguir um trabalho nas férias.
3	

Mês:		Ano:
Fins de semana	**Ação 80/20**	**Progresso**
8 de novembro	Fazer algum tipo de investimento.	Concluído.
15 de novembro	Conseguir um trabalho nas férias.	Concluída lista de sete firmas.
22 de novembro	Idem.	Candidatei-me a cinco vagas.
29 de novembro	Idem.	Aceita para um trabalho de Natal. Concluído.

Figura 20 Tabela de progresso do Plano de Felicidade 80/20 de Caroline

O Estilo 80/20	
Área	
Destino 80/20	
Rota(s) 80/20	
Ação 80/20 1	
2	
3	

Mês:	Ano:	
Fins de semana	Ação 80/20	Progresso

Figura 21 Tabela de progresso do seu Plano de Felicidade 80/20

Adeus

Em *Alice no País do Espelho*, de Lewis Carroll, a Rainha Vermelha arrasta Alice numa correria louca:

> Elas corriam de mãos dadas, e a Rainha ia tão rápido que isso era tudo o que Alice podia fazer para acompanhá-la. Mesmo assim, a Rainha continuava gritando: "Mais rápido! Mais rápido!" Alice, porém, sentia que *não conseguia ir mais rápido*, embora não tivesse fôlego para dizer tal coisa.
>
> O mais curioso de tudo é que as árvores e as outras coisas ao redor delas não mudavam de lugar – por mais rápido que as duas corressem, não deixavam nada para trás...
>
> "Vamos! Vamos!", gritava a Rainha. "Mais rápido! Mais rápido!" E corriam tão depressa que pareciam apenas roçar o ar, mal tocando o chão com os pés até que, de repente, quando Alice estava exausta, elas pararam e a menina se viu sentada no chão, tonta e sem fôlego...
>
> Alice olhou em volta com grande surpresa.
>
> – Puxa, acho que ficamos debaixo desta árvore o tempo todo! Tudo está como estava antes! – disse.
>
> – Claro que está – respondeu a Rainha. – O que você queria?
>
> – Bem, no nosso país – disse Alice, ainda ofegante –, quando corremos bem depressa por muito tempo como corremos, geralmente mudamos de lugar.
>
> – Deve ser um país lento! – disse a Rainha. – *Aqui*, é preciso correr muito só para ficar no mesmo lugar. Se você quiser chegar a outro lugar, tem que correr pelo menos duas vezes mais rápido.[2]

Nesse trecho, Lewis Carroll poderia estar satirizando o mundo de pista rápida de hoje, que nos incita a ir mais rápido e a buscar mais com mais. Entretanto, como Alice descobriu, correndo demais nos exaurimos e não chegamos a lugar nenhum. A afobação da vida moderna é incessante – seguimos cada vez mais depressa sem nunca alcançarmos a felicidade. Assim como acontece quando corremos na academia, transpiramos e ficamos cansados, no entanto permanecemos onde estamos.

Tudo o que a pista rápida nos dá é a ilusão de liberdade. Como uma montanha-russa de parque de diversões, ela é assustadora e excitante, mas nos deixa onde estamos.

Enquanto mais velocidade não nos leva a lugar nenhum, desacelerar pode nos conduzir a toda parte. Ao contrário da opinião comum, menos é mais. Somente quando nos concentramos nas poucas coisas vitais e rejeitamos a preocupação com aquela grande quantidade de assuntos e tarefas banais, conseguimos encontrar a felicidade. O único meio de vivermos mais é fazermos menos. Apenas insistindo no critério mais com menos cumprimos nosso destino individual.

Vimos que o princípio mais com menos está por trás de maravilhosas realizações nos negócios, na economia, na ciência e na tecnologia. As palavras-chave para o sucesso são foco, seletividade e inovação.

O Estilo 80/20 leva o mesmo princípio para nossa vida. Não temos que aceitar a moda atual de adotar o critério mais com mais – que certamente parecerá bizarro e ridículo daqui a algumas décadas. Esse conceito é uma burrice. Desperdiça o potencial humano. Insulta nossa inteligência e engenhosidade. Fracassa em qualquer teste objetivo de progresso social.

Para encontrarmos sentido na vida, temos que nos voltar para o nosso interior: definir as poucas coisas que valorizamos, aquelas que desejamos amar e às quais queremos nos dedicar, aquilo em que somos bons e que gostamos de fazer. Uma vez descobertas essas coisas, todo o restante se torna banal. Realizados e felizes, criando mais com menos, podemos ignorar com segurança a moda do mais com mais e do "Mais rápido! Mais rápido!".

Ainda assim,

o Estilo 80/20

exige

esforço...

Neste livro, sugeri um caminho mais inteligente e livre de preocupações ao longo da vida, um modo mais simples de obter satisfação e realização pessoal. O critério do mais com menos é muito mais fácil de aplicar do que o do mais com mais.

Ainda assim, num aspecto, o Estilo 80/20 é mais difícil: começar. Como todos os conceitos do mundo moderno nos empurram para o mais é mais e o mais com mais, precisamos de autoconfiança e determinação para abandonar a multidão.

Rejeitar o mais com mais em favor do mais com menos não requer tanto trabalho e proporciona mais felicidade e satisfação. Contudo, exige também um pouco de coragem intelectual. Temos que desprezar a rotina moderna da correria e parar de agir como as pessoas ambiciosas. Precisamos descobrir em que aspectos o menos pode ser mais e não abrir mão disso quando amigos e colegas pensarem que estamos doidos.

Imagino que neste momento você já acredita nos conceitos menos é mais e mais com menos. Em todo caso, a leitura deste livro terá sido inútil caso você não comece a se *comportar* de modo diferente.

Albert Einstein disse que devemos simplificar os problemas tanto quanto possível, porém não mais do que isso. O Estilo 80/20 torna tudo tão fácil quanto possível, mas não mais fácil. Construir uma vida – executar a ação que nos proporcionará a melhor vida que podemos ter – exige um esforço novo e diferente. Caso contrário, seríamos robôs e não haveria sentido em estruturar a vida.

No entanto, não sentimos o esforço quando ele é impulsionado pelo desejo e pelo amor. Em geral, não somos conduzidos pelo desejo nem pelo que amamos, e sim pela mão da culpa, da preocupação ou da obrigação. Esta última, nas palavras de John Fowles, "quase sempre consiste em fingir que o banal é fundamental". O dever desperdiça energia vital. Todas as grandes realizações humanas foram deflagradas pela paixão, não pela obrigação.

A vida é mais prazerosa e valiosa quando somos motivados pelas poucas coisas que nos entusiasmam. Se não nos sentimos empolgados, tudo é inútil. Quando não somos nós mesmos, pouco conquistamos. Entretanto, se nos sentimos estimulados e agimos de acordo com nosso eu, não há limite para a felicidade e realização pessoal que somos capazes de alcançar.

A visão por trás do Estilo 80/20 é um mundo onde somos todos indivíduos, responsáveis por nós mesmos, descobrindo e curtindo o lugar exclusivo que ocupamos no Universo.

É atemorizante perceber que a maior parte da vida é banal e que quase tudo o que fazemos é indigno de nós. Claro que não devemos olhar com desprezo para as tarefas cotidianas: limpar, arrumar, correr atrás de um ganha-pão. O que importa é como e por que fazemos essas coisas. Tudo o que dê significado à nossa vida ou nos proporcione felicidade é precioso. Mas vagar sem objetivo, viver sem felicidade, sem fazer os outros felizes, sem compreender no que de melhor podemos nos transformar é um desperdício!

É verdade, o estilo 80/20 requer um pequeno esforço – você não precisa da visão 20/20, e sim da visão 80/20. Ela exige uma atitude diferente. É necessário abandonar a multidão e livrar-se das correntes das convenções modernas. É preciso agir. Mas você é capaz de fazer isso. Decida agora que *agirá*. E entre em ação. Depois que você pegar o ritmo, esse estilo lhe parecerá o mais fácil de todos.

Mesmo sem agir, é provável que você tenha gostado deste livro. No entanto, esse prazer logo se dissipará. Meu caloroso desejo é que execute as poucas ações bem dirigidas que transformarão sua vida, permitindo que sua felicidade transborde para as pessoas ao seu redor, aquelas que você ama. Para multiplicar a felicidade, comece já.

Notas

Capítulo 1

1. Dados do censo de 21 de abril de 1991 relativos apenas à Inglaterra (não incluem o restante do Reino Unido). Extraídos do site www.citypopulation.de.
2. *The Economist*, 27 de novembro de 1993, p. 33.
3. Ibidem, 17 de junho de 1993, p. 61.
4. Milgram, Stanley. "The small-world problem", *Psychology Today*, 1967, vol. 2, pp. 60-67.
5. Gladwell, Malcolm. (2000) *O ponto de desequilíbrio.* Rio de janeiro: Rocco, 2002.

Capítulo 2

1. Sou grato ao saudoso Douglas Adams por esses exemplos. Ver Douglas Adams, *The Salmon of Doubt: Hitchhiking the Galaxy One Last Time.* Nova York: Harmony, 2002.
2. Isso significa nenhum celular, pager, e-mail e outras distrações, especialmente as não relacionadas a trabalho.

Capítulo 3

1. Zeldin, Theodore. *Uma história íntima da humanidade.* Rio de Janeiro: BestBolso, 2008.

Capítulo 6

1. Seligman, Martin E. P. *Felicidade autêntica.* Rio de Janeiro: Objetiva, 2004.
2. Dominguez, Joe; Robin, Vicki. *Dinheiro e vida.* São Paulo: Cultrix, 2007.

Capítulo 7

1. Em dúvida, consulte Seligman, op. cit.

2. Ver Seligman, Martin E. P. *Aprenda a ser otimista.* Rio de Janeiro: Nova Era, 2005.

Capítulo 10

1. Esses modelos só podem ser copiados para uso pessoal, não com objetivos comerciais.
2. Carrol, Lewis. *Alice no país do espelho.* Porto Alegre: L&PM, 2004.

Agradecimentos

A idéia de um livro simples de auto-ajuda baseado no Princípio 80/20 partiu de Laurence Toltz e Nicholas Brealey. Steve Gersowsky teve um papel fundamental ao me motivar a escrever uma obra acessível a todos.

Tenho uma grande dívida com Laurence Toltz, também autor, por seus incentivos e críticas a cada passo do caminho. Muitas das suas idéias foram incorporadas a este livro.

Recebi ainda opiniões valiosas de Tom Butler-Bowden. Ao incluir *O Princípio 80/20*, de minha autoria, em *50 clássicos de auto-ajuda*, ele me estimulou a escrever uma continuação desse livro.

Jonathan Yudelowitz, psicólogo e consultor de negócios, foi outra pessoa que me influenciou tremendamente. Íamos escrever este livro juntos. Quase todas as referências na área de psicologia se devem aos seus insights.

Versões iniciais deste livro foram lidas e comentadas por muitos amigos meus. Sou grato a todos eles, principalmente a Andy Costain, Mary Saxe-Falstein, Juliet Johnson, Penelope Toltz, Robin Field, Chris Eyles, Matthew Grimsdale, Anthony Rice e Jamie Reeve. Agradecimentos especiais ao meu amigo e assistente pessoal Aaron Calder.

Meu crítico mais duro foi Nicholas Brealey. Graças à intensidade de suas observações, criei uma obra melhor. Sou grato ainda a Angie Tainsh e Victoria Bullock pelo projeto de concepção e marketing do livro e a Sally Lansdell por seu soberbo trabalho de edição e design de diagramas.

Por fim, agradeço a todos os meus leitores, sobretudo os de *O Princípio 80/20*, que partilharam comigo a informação de que minhas obras foram úteis em sua vida. Incluí aqui referências a essas experiências para que os novos leitores pudessem beneficiar-se delas. Caso você queira fazer comentários sobre este livro, encaminhe-os para richardjohnkoch@aol.com.

CONHEÇA OUTROS TÍTULOS DA EDITORA SEXTANTE

Fora de série – Outliers
Malcolm Gladwell

O que torna algumas pessoas capazes de atingir um sucesso tão extraordinário e peculiar a ponto de serem chamadas de "fora de série"?

Costumamos acreditar que trajetórias excepcionais, como a dos gênios que revolucionam o mundo dos negócios, das artes, das ciências e dos esportes, devem-se unicamente ao talento. Mas nesse livro você verá que o universo das personalidades brilhantes esconde uma lógica muito mais fascinante e complexa do que aparenta.

Baseando-se na história de celebridades como Bill Gates, os Beatles e Mozart, Malcolm Gladwell mostra que ninguém "se faz sozinho". Todos os que se destacam por uma atuação fenomenal são, invariavelmente, pessoas que se beneficiaram de oportunidades incríveis, vantagens ocultas e heranças culturais. Tiveram a chance de aprender, trabalhar duro e interagir com o mundo de uma forma singular. Esses são os indivíduos fora de série – os *outliers*.

A bola de neve
Alice Schroeder

Esse é o livro definitivo sobre a vida de um dos homens mais respeitados e fascinantes do mundo: Warren Buffett. O lendário investidor pela primeira vez autorizou alguém a produzir sua biografia, concedendo a Alice Schroeder acesso irrestrito a seus familiares, amigos e parceiros – e, é claro, a ele mesmo.

A autora mergulhou a fundo na vida do empresário, desvendando sua personalidade, suas lutas, seus triunfos e seus momentos de sabedoria e de insensatez. O resultado é a história de um dos maiores personagens de nosso tempo, uma figura complexa e interessante que se tornou uma lenda viva pela fortuna que construiu e, sobretudo, pelas idéias, causas e valores que defendeu.

Vá direto ao assunto

Stuart R. Levine

Vivemos reclamando que nunca temos tempo para nada. Colocamos a culpa no ritmo acelerado da vida, mas a verdade é que perder tempo é uma escolha pessoal, fruto da falta de disciplina e de bom senso.

Você pode continuar se queixando ou pode se comprometer a usar melhor esse recurso tão valioso, concentrando-se em suas tarefas, evitando distrações e conversas fiadas e empenhando-se em ser mais eficiente e produtivo no trabalho para ter mais tempo para se divertir com a família e os amigos.

Em *Vá direto ao assunto*, o consultor Stuart R. Levine apresenta 100 regras simples e práticas para desenvolver a objetividade, estabelecer prioridades e abordar as tarefas com clareza, foco e propósito.

As regras da riqueza

Richard Templar

Quantos de nós não sonham em ter dinheiro suficiente para levar uma vida confortável e sem preocupações financeiras? Ainda que o dinheiro não traga felicidade, é evidente que ele nos proporciona benefícios. Poucos, porém, conhecem o caminho para a prosperidade. Os demais se perguntam: por onde começar? Como as pessoas ficam ricas? Será que elas têm sorte ou sabem algo que eu não sei?

Esse livro revela exatamente isto: os segredos dos indivíduos bem-sucedidos – o que eles fazem para ganhar e conservar muito dinheiro. Aqui você encontrará um precioso conjunto de 100 regras baseadas no comportamento, na forma de pensar, no estilo de vida e no conhecimento financeiro de quem soube conquistar e preservar a riqueza.

Informações sobre os próximos lançamentos

Para receber informações sobre os lançamentos da EDITORA SEXTANTE, basta cadastrar-se diretamente no site www.sextante.com.br

Para saber mais sobre nossos títulos e autores, e enviar seus comentários sobre este livro, visite o nosso site www.sextante.com.br ou mande um e-mail para atendimento@esextante.com.br

EDITORA SEXTANTE
Rua Voluntários da Pátria, 45 / 1.404 – Botafogo
Rio de Janeiro – RJ – 22270-000 – Brasil
Telefone (21) 2286-9944 – Fax (21) 2286-9244
E-mail: atendimento@esextante.com.br